MOTEUR!

PASCAL LOUVRIER

Moteur !

6, rue Laplace
75005 Paris

www.tohubohu.paris

ISBN 978-2-37622-049-7
Dépôt légal : septembre 2018

Le reste est silence

Shakespeare

EUROPE

1

C'était un mois d'août sans été dans le ventre. La fraîcheur de la nuit passait par la fenêtre entrouverte. Allongé sur son lit, James ne parvenait pas à trouver le sommeil. Il se leva pour prendre une bière dans le frigo, la décapsula, et but. Elle était glacée. Il lâcha un « ah » de plaisir. Il se dirigea vers la fenêtre, regarda les gros nuages devant la lune. « Triste temps », marmonna-t-il, planté en caleçon, torse nu. Il aurait aimé prendre sa Plymouth Fury blanche, rouler vitres baissées, avec des odeurs de poussière et d'essence. Mais pas question de filer. Il traversa l'appartement d'une démarche lente, monta l'escalier en colimaçon, ouvrit la porte de la chambre. Elle sentait l'acrylique. Le plafond et les murs venaient d'être repeints. Le lit était fait, des draps bleus, tendus, sans le moindre pli. Les rideaux tirés cachaient la rue. Il y avait une armoire, une glace, un halogène. Pas de tableau. Une chambre comme celles des chaînes d'hôtels. Il passa dans la salle de bains. La veille, la femme de ménage l'avait nettoyée. Tout brillait, surtout la robinetterie. Elle avait respecté les ordres : replacer, comme elle les avait trouvés, les produits de beauté au-dessus de la vasque en résine. Il inspecta la baignoire. Le Toplax noir était sans la moindre trace. Quand il avait décidé d'habiter ce duplex, voilà déjà cinq ans, il avait exigé que la baignoire soit noire.

James redescendit en faisant vibrer les marches. Il s'assit dans le fauteuil, finit sa bière, écrasa la canette, puis la lança dans la poubelle, en face, à environ quatre mètres. Il posa les mains sur les accoudoirs et examina les taches brunâtres. Les fleurs de cimetière se développaient à la racine des poils roux. Un vieillissement inexorable. Il resta comme ça, sans bouger, jusqu'à 6 h 30.

2

Le taxi stoppa sur le parking désert, face aux murs sombres hérissés de barbelés. Un voile gris flottait dans le ciel, condamnant le soleil à revenir une autre fois. James descendit de la voiture, après avoir demandé au chauffeur de l'attendre. Dans le lointain, un train griffa l'air comme on file un bas. La plus haute tour de la ville dominait les façades couleur chair de thon. Il alluma une cigarette en regardant le drapeau français s'agiter au-dessus de la lourde porte close. Il releva le col de sa veste et jeta un coup d'œil à sa montre. Il était à l'heure. Une boule se forma dans sa gorge. Ses mains devinrent moites. Son cœur se mit à battre plus vite. La porte venait de s'ouvrir. Une jeune femme en jean et cheveux mi-longs apparut alors. Elle tenait un vieux sac de cuir marron à la main. Il s'approcha d'elle lentement. Elle attendit sans bouger. La lumière du jour lui faisait mal aux yeux. De fines gouttes de pluie commencèrent à tomber. Il hésitait à la prendre entre ses bras, la serrer contre sa poitrine. Elle prit l'initiative et l'embrassa sur la bouche. Elle voulut marcher un peu avant de monter dans le taxi. La lourde porte se referma dans un bruit qui la fit sursauter. Elle chercha sa main qu'elle serra fort. La pluie mouillait sa chevelure blonde. « Marchons, j'ai la trouille. C'est angoissant la liberté, comme ça, d'un coup. » Elle avait dit ça avec beaucoup de douceur dans la voix. Il aimait bien le timbre de sa voix. C'était la première fois qu'ils se parlaient sans être surveillés. Ça avait quelque chose d'étrange, d'irréel presque, cette promenade devant les murs de la prison où Eden avait purgé sa peine, huit mois.

Elle n'avait qu'une petite veste pour la protéger des gouttes de plus en plus grosses. Son front tout blanc ruisselait. James l'entraîna vers le taxi. Le chauffeur sortit pour mettre le sac dans le coffre. Il regarda le visage de la jeune femme. « Vous avez sacrément besoin de soleil », lança-t-il. Eden passa machinalement la main dans ses cheveux mouillés et répondit : « Pas que de soleil. »

Les essuie-glaces balayaient le pare-brise, celui de droite fonctionnait mal. Ils étaient assis l'un à côté de l'autre, ne parlant pas. Elle regardait sans voir. Au bout d'un moment, elle dit : « J'ai eu peur que tu ne viennes pas. » James resta muet. Le chauffeur mit plus fort la radio. Les informations n'intéressaient pas Eden. Son esprit était toujours dans sa cellule de neuf mètres cubes, aux murs verts, sales. Le taxi traversa le fleuve qui séparait la ville en deux. Il se dirigeait vers la banlieue ouest. Les feuillages des arbres étaient secoués par le vent. Il ne pleuvait presque plus. Les petits pavillons avaient été rasés, remplacés par des immeubles aux façades en marbre et terrasses immenses. Il habitait l'un d'eux, où il ne connaissait personne, et où personne ne le connaissait.

James fit arrêter le taxi. Il voulait prendre un petit déjeuner dans un bistrot qu'il fréquentait. Elle n'avait pas faim mais elle accepta. Elle n'avait pas la force de dire non. Il salua le patron en agitant les doigts et choisit une table à l'écart. Elle se laissa glisser sur la banquette, épuisée par la liberté recouvrée. Il commanda un grand crème et deux croissants. Elle prit finalement un café noir, pour voir si elle aimait encore son goût. Le café de la prison avait un goût amer, métallique. Il donnait la nausée. De toute façon, l'envie de vomir ne l'avait jamais quittée durant son incarcération. Que ce soit l'odeur des corps, celle de la Javel, du désinfectant, de l'urine au fond de la cellule, du moisi des vêtements, des douches. Ou bien le cocktail de médocs, surtout les antidépresseurs à haute dose après sa TS ratée. C'était la nausée, en permanence. Et puis tous ces visages ravagés par la détresse, la violence, la culpabilité. L'envie de gerber, toujours. En prison, cependant, on vomit rarement, on apprend à tout garder. On encaisse. Jusqu'à l'asphyxie.

Eden le regarda boire son café. Il était beau, son homme, avec ses yeux verts, un peu délavés par l'alcool, son front ridé et ses cheveux poivre et sel mal peignés. Elle mit deux sucres dans la tasse. Le matin, au réfectoire, on lui piquait toujours ses sucres.

La prison l'avait changée à tout jamais. Elle allait s'enfoncer progressivement, avec effritement intérieur lent, une corrosion inéluctable, comme un rafiot couché sur le flanc. La méchanceté des hommes et le sel marin agissent de la même façon : ils enlaidissent leur proie sans les faire disparaître totalement.

Elle aimait bien les yeux de son homme. Elle aurait pourtant juré que, jamais plus, elle ne pourrait supporter un œil posé sur elle. L'œil qui la fixait quand elle ôtait ses vêtements pour accomplir sa toilette. L'œil qui la matait quand elle urinait ou déféquait. L'œil derrière la porte qui voit sans être vu.

La pluie avait cessé. Ils étaient là, dans ce café sombre, assis l'un en face de l'autre. Elle était enfin sortie de prison. C'était donc fini. C'était du passé.

Elle chuchota de peur d'être entendue. Une habitude de taularde.

— Tu sais, j'ai cru que tu te lasserais du parloir, dit-elle. Venir tous les mercredis, sauf une fois, ça a dû être une corvée.

— Écoute, Eden, tu ne vas pas commencer.

Il l'avait appelée par son prénom. Elle sourit. Depuis combien de temps cela ne lui était-il pas arrivé ? « Écoute, il redit, je n'ai pas compté les mercredis, je ne savais même pas que c'était le mercredi. Je venais parce que je l'avais décidé. » Elle lui prit la main. C'était bon de toucher sa peau. Elle avait froid, le bout de ses doigts était gelé comme en plein hiver. Dehors la pluie avait cessé. Le soleil entrait dans le bistrot. « Ça fait du bien, dit-elle, en caressant la main de son homme. T'es mon homme, hein ? » Elle avait toujours été exaspérante avec ses questions inutiles. Il fallait qu'on la rassure, en permanence. Le premier soir, c'était dans un bar, elle lui avait déjà fait le coup. Elle avait accepté de coucher à condition que ce ne soit pas pour une nuit. Tout de suite, elle l'avait aimé. Elle le savait, son corps avait réagi étonnamment, une sorte d'incendie dans sa vie sans intérêt. Il avait ri. C'est sur *Body and Soul*, chanté par Amy Winehouse et Tony Bennett, qu'elle l'avait embrassé, avec la lèvre inférieure très humide, et le bout de la langue agile comme la queue d'un crotale. Ça avait fait mouche. La peau ne ment pas. Il avait placé cette phrase dans un scénario repris cent fois sur ordre d'un *executive* qui ne supportait pas sa facilité à écrire sur n'importe quel sujet. Elle l'avait embrassé, ils avaient couché ensemble et les questions d'Eden avaient aussitôt commencé. Avec elle, on ne pouvait pas vivre dans la sérénité, au jour le jour. Il fallait tordre le quotidien jusqu'à la tendinite. Il n'y avait pas de répit.

— Je t'aime.

— Merveilleux.

— Mais un jour tu ne m'aimeras plus, hein ?

— Je n'ai jamais dit que je t'aimais.

— Et pourquoi tu ne m'aimes pas ?

— Il y a quelque chose de fort, ça oui.

— Fort comment ?

— Je ne sais pas. C'est fort, voilà.

— C'est toi l'écrivain, le scénariste génial. Tu dois savoir, mettre les mots sur notre amour unique, non ?

— Je ne sais pas.

— Tu ne m'aimes pas vraiment.

Ça n'en finissait pas. Elle était chiante, hystérique, elle se droguait, cassait tout, elle avait fini par faire de la taule, il aurait pu en profiter pour se tirer. Il était là, devant elle.

Il n'aurait pas supporté une autre situation.

Il paya l'addition. Avec Eden, il avait toujours payé. Elle était fauchée. Sauf pour la came qui engloutissait ses économies dont il ignorait la provenance. Avant son arrestation, pour détention de stupéfiants et revente de coke, elle avait déjà tenté de décrocher. Ça avait été dur, très dur même. Quand le besoin la taraudait trop, et qu'elle replongeait, il était mal placé pour la blâmer. Il picolait. De la bière et du bourbon. Et puis il fumait depuis l'âge de douze ans.

Ce type était un mauvais exemple.

3

Quand Eden était venue habiter chez lui, il avait refusé qu'elle dorme dans son lit. Il lui avait donné la chambre avec salle de bains, au second niveau. Elle avait fini par accepter sans comprendre vraiment. Là, elle refusa catégoriquement. Elle voulait sentir son corps tiède quand elle s'endormirait. Elle prit une douche, située au premier niveau. Elle laissa couler l'eau chaude sur sa peau, puis elle lava ses cheveux, les rinça, et continua de laisser l'eau détendre ses muscles. Pendant ce temps, il s'était installé dans son fauteuil, sirotant une bière glacée. La buée qui s'échappait de la douche l'avait énervé. « Eden, c'est bon, t'es propre », avait-il dit avec une pointe d'énervement dans la voix. « Fuck you ! » avait-elle hurlé. De rage, elle avait utilisé tout le gel douche, le gaspillant, pour effacer l'odeur de taule.

On ne peut dire qu'il aimait Eden. Elle brisait sa solitude, tout en respectant le silence qu'imposait son travail. Enfin quand il avait du travail. Elle donnait son avis, déplaçait les meubles une fois par mois, réorganisant entièrement l'appartement, sans toutefois toucher à son bureau. Elle ne surveillait pas son alimentation. Elle aimait son début d'embonpoint. Elle lui interdisait seulement de manger des œufs car il avait du cholestérol.

Eden pleurait souvent. Mais ça, c'était avant la prison. À présent, il se dit qu'elle devait être endurcie. Tout ne peut pas être toujours mauvais dans la vie. Il avait des phrases définitives, surtout quand la bouteille de bourbon était vide. Il avait toujours écrit à la « limite », c'est-à-dire dans un état proche de l'ivresse, sans être tout à fait ivre. Cette plage temporelle durait peu. Il fallait l'utiliser au maximum, car rien n'était à jeter durant cette période d'extrême lucidité. Il côtoyait le génie, disait-il ironiquement. Après, il retombait, il redevenait pâteux. L'homme sans gravité n'était plus qu'un vague souvenir. Il était la pomme de Newton éclatée au sol.

Eden continuait de gaspiller l'eau. La pureté n'est pas une question de flotte sur la peau. James appuya sur la télécommande de la minichaîne. La voix ténébreuse de Camillo emplit la pièce. C'était un crooner qu'il écoutait en hommage à Peter Katenberg, son père. Son tube planétaire, *Sag warum*, interprété en allemand, la langue maternelle de Peter, le plongeait dans une mélancolie vive. Il connaissait les paroles par cœur. Il pouvait l'écouter en boucle des heures durant, fumant son paquet de blondes, allongé sur le canapé de cuir, les canettes de bière sur le parquet. Des histoires naissaient dans son cerveau, à rebondissements, angoissantes comme le ciel de Californie, monochrome. Il finissait par se lever, la tête lourde, un peu nauséeux, et une fois la chanson finie, il commençait à taper sur son ordinateur. C'était mauvais. Alors il prenait une bière dans la glacière, allumait une cigarette, et remettait la chanson. Les idées revenaient, les images réapparaissaient. La plupart du temps, c'était la nuit, le personnage qu'il imaginait avait la gueule de bois, comme lui, il conduisait une voiture aux balais d'essuie-glaces usés.

La route était déserte et la lune énorme.

Eden avait trouvé un peignoir trop grand pour sa taille. Elle cria : « Tu me saoules avec ta chanson ! Tu penses à une meuf en l'écoutant ! C'est incroyable ! Depuis le temps, t'es pas arrivée à l'oublier ? » Et c'était parti. Eden était en colère et il faudrait du temps avant qu'elle se calme. « Tu sais, continua-t-elle, le peignoir à moitié ouvert, je connais les paroles. C'est un paumé, ton mec, il est à la ramasse parce qu'il s'est fait larguer. Mais qu'il ouvre les yeux, il va en trouver une autre, et dix fois mieux. C'est dingue ! Tu sais, il se complaît dans son malheur, il l'entretient. On a qu'une vie. Dire qu'ils m'ont piqué huit mois de la mienne ! »

La prison n'avait pas changé son sale caractère, bien au contraire.

Eden a fini par s'approcher de lui. Elle s'est assise sur ses genoux, l'a embrassé tout en glissant ses doigts entre les boutons de sa chemise. « Allez James, minauda-t-elle, oublie cette fille, je suis de retour. » Sa peau sentait la vanille. C'était agréable. James ne répondit pas. Il répondait rarement aux questions. Il sourit, de son sourire énigmatique, qui signifiait que le nom de cette femme resterait secret. Car Eden en était persuadé, la chanson lui rappelait une femme qu'il avait aimée. Elle n'en démordait pas.

Leurs lèvres se touchèrent. Eden mit la langue la première. Sa colère était déjà retombée. James ouvrit le peignoir et caressa ses seins. « Enfin des mains d'homme sur mon corps », susurra-t-elle. James n'avait pas trop envie de la pénétrer, mais elle n'en pouvait plus. Ils firent l'amour très vite.

En prison, ils avaient baisé. Une seule fois en huit mois. C'était au parloir. Enfin derrière un paravent, dans une immense pièce où jouaient des enfants de détenues. Le paravent ne cachait rien, les caméras enregistraient tout. Ça devait être un régal pour les matons. James avait eu du mal à bander et le bruit des clés avait perturbé Eden. James avait remonté à la hâte son jean, oubliant de le boutonner. Un maton s'en était aperçu. Il lui avait dit, bien fort, pour que tout le monde entende : « Avec ça, on comprend pourquoi votre femme a beaucoup de copines. » James avait failli mettre son poing dans la gueule du crétin, mais il s'était ravisé. Ce gros naze n'attendait que ça pour l'interdire de visite.

Eden le regardait de ses yeux bleus, étendue sur le parquet, le peignoir lui servant de couverture.

— Tu sais, dit-elle, t'as vraiment une gueule d'acteur. Pourquoi t'as jamais fait de films ?

— Des films, j'en ai fait plein, répondit-il en se grattant la nuque.

— Ouais, comme scénariste. Joue pas sur les mots. Tu me rappelles Steve McQueen dans ce film avec Faye Dunaway.

— Tu connais *L'Affaire Thomas Crown* ?

— C'est ça, dit Eden, prends-moi pour une débile. Quelle histoire ! Ce mec qui a tout, et qui est blasé, et qui va braquer une banque pour sentir à nouveau le frisson. C'est dingue.

— Il y a surtout le plus long baiser de l'histoire du cinéma. Presque une minute. On m'avait proposé d'écrire le scénario d'un remake. J'avais refusé. On ne touche pas à un film comme celui-là. On m'avait donné beaucoup de dollars pour me convaincre. C'est marrant comme les gens de pouvoir croient qu'on achète tout avec de l'argent.

— Mais c'est le cas, trésor. T'étais juste dans une période où t'avais pas faim. Là, je suis certaine que tu accepterais n'importe quoi, ne serait-ce que pour m'acheter de nouvelles fringues.

Eden ne l'avait jamais appelé trésor. Ou alors il avait oublié. Il ne répondit pas. James avait de plus en plus de mal à écrire. Il était sec. Le cinéma, puis la télévision, lui avaient pompé tout son talent. Il était fatigué, il se traînait, buvait des bières, fumait, baisait mal, pas si souvent que ça, et surtout il ne parvenait plus à se débarrasser de l'ennui, un ennui sans espoir.

Eden se releva, laissant glisser le peignoir sur le parquet. Elle s'assit dans le canapé de cuir, nue. Son corps était superbe, lisse et ferme. Sa peau, blanche, ne portait aucune marque de maillot. Elle ouvrit légèrement les cuisses.

— J'aime le cuir sous mes fesses, lança-t-elle.

— Oui, tu as un cul d'enfer, répondit James en allumant une cigarette. Comme Bardot, qui avait été pressentie pour jouer le rôle en définitive attribué à Faye après son refus. Dommage.

Il marqua une pause.

— Ça fait des années que je suis nul, poursuivit-il d'une voix monocorde.

— C'est pas en te répétant que t'es nul que tu vas remonter la pente. Tu tournes en boucle, trésor.

Mais qu'avait-elle donc à l'appeler trésor ? James souffla la fumée de sa cigarette vers le plafond. Peut-être ses compagnes de cellules l'apostrophaient-elles ainsi. Il alla ouvrir la fenêtre. L'air frais entra. « Avec un peu de volonté, dit-elle, tu pourrais à nouveau être bankable et filer la frousse aux trentenaires qui te prennent pour un looser. Tu devrais faire un scénario de ma story. Je vais te raconter mon expérience de taularde, avec tous les détails hyper réalistes. La merde que c'est à l'intérieur. La drogue, la violence, la promiscuité, la saleté. Tout, quoi ! » James l'interrompit. Ce n'était pas lui qui décidait d'écrire un scénario. On le lui imposait. « Pas grave, dit-elle. Tu vas en faire un roman. Ça fait des années que tu me bassines avec un roman. Tu as la matière. Elle est là, devant toi, gratos ! »

James ne voulait pas écrire de roman. À une époque, il y avait certes songé. Il avait même rédigé plusieurs chapitres. Un truc pas mal, très personnel, lui avait dit son meilleur ami, également éditeur. Mais il avait renoncé. Il faut avouer que le métier de scénariste était franchement usant. James se souvenait du contrat de la Warner. Il habitait à Palm Springs, dans une immense villa, avec piscine et palmiers. L'air est chaud et sec, pas comme à Los Angeles, et les rues sont calmes. Il écrivait surtout la nuit, le plus souvent au bord de sa piscine, à sniffer de la coke, à boire du bourbon sec, torse nu, comme Hemingway à Cuba. Il envoyait son scénario. Quelques jours plus tard, un boss de la Warner le convoquait. James prenait sa décapotable et filait aux studios. Le boss lui déchirait le boulot sous ses yeux en lui disant qu'il avait deux jours pour tout récrire de mémoire. Il insistait : de mémoire. Ainsi ne resterait-il que l'essentiel. C'était dingue mais ça payait bien. À l'aube, après avoir récrit son scénario de mémoire, James fixait le soleil qui s'élevait au-dessus du désert, à la limite de la folie. Pas de roman, plus de scénarios, rien que cette attitude à se complaire dans la mélancolie et à dénigrer la célébrité.

Eden revint à la charge. James devait écrire sa vie en taule. Pour dénoncer la honte. Mais James était tout sauf un redresseur de tort. Américain par sa mère, d'origine mexicaine, il avait appris à se débrouiller seul, et surtout à ne pas se mêler de la merde des autres. La sienne lui suffisait.

Lors de la grande grève des scénaristes de 2008, James était resté à l'écart, malgré les injonctions de son syndicat. Ce gigantesque reality show hyper médiatisé l'avait laissé de marbre. Il était déjà fatigué. Ses ennemis en avaient profité pour affirmer qu'il était dépressif. En un mot, il était cuit, le vieux James. Il allait passer à la trappe, même si sa mère, l'une des dernières grandes stars qu'avait produite Hollywood, inspirait la compassion et n'autorisait pas qu'on réduisît son unique rejeton à l'état de cadavre.

Il s'était alors réfugié dans son ranch de la région d'Oro Valley, au nord de Tucson. Il avait retrouvé les coyotes, les serpents à sonnette, la poussière. Les arbustes broussailleux, des *tumbleweed*, couraient devant son portail. Ils étaient à l'image de sa vie passée. Une vie dont il ne voulait plus. De Los Angeles, il ne regrettait rien, surtout pas l'océan Pacifique, couleur tarte aux mûres, les jours de mauvais temps. Il préférait le silence du désert.

James regarda Eden. Il se pencha vers elle et l'embrassa sur la bouche. « Je vais dormir », murmura-t-il.

4

Même si James n'avait jamais été violent avec elle, Eden le craignait. Elle dormit donc seule, au second niveau, dans cette chambre dont elle détestait la nouvelle déco. Ou, plus exactement, l'absence volontaire de déco. James avait cru bien faire. Il s'était dit qu'une chambre impersonnelle favoriserait la réinsertion d'Eden. Elle passerait du sordide au neutre. Il s'était trompé.

Il prenait un café noir sans sucre, debout dans le salon. Il portait un caleçon beige, des espadrilles mauves. Il était naturellement torse nu. Dehors il faisait doux et gris. Il manquait la lumière de l'Arizona, le bleu immaculé derrière les hautes collines de Santa Catalina. Il n'aurait pas dû venir en France. Pas d'énergie ! Les gens vivaient dans le passé, donnaient des leçons en permanence, alors qu'ils n'étaient plus que les fantômes d'un musée à ciel ouvert. James regrettait d'avoir cédé à son vieil ami Frank Schindler qui imposait ses films et ses séries télévisées à la terre entière. Frank le traitait comme un seigneur. Il tolérait ses retards de remises de scénarios. Il payait toutes ses notes de frais, même les plus extravagantes. Schindler savait que James était un artiste et qu'il fallait le traiter comme tel. Il lui avait même trouvé une maison à l'écart de la ville, mais James avait préféré ce duplex.

Il connaissait aussi son enfance chaotique. Alors, quand il lui avait proposé de travailler pour sa filiale européenne, James avait accepté. Oh, ça n'avait pas été facile. Il avait tout d'abord dit non. Il avait ronchonné dans son coin plusieurs mois durant, et il avait fini par céder. « Tu as besoin de changer d'air, lui avait dit Frank. Tu es fatigué. Au lieu de te booster, la vitalité de Los Angeles t'épuise. Tu vas aller en France. Grâce à tes parents, tu parles français. Tu vas ainsi les remercier. » Il avait gardé cet argument pour la fin, après avoir laissé James mijoter dans son refus d'enfant gâté.

L'héroïne de la série télévisée à adapter à la sauce française, c'est-à-dire lente et bavarde, était une femme flic, Anne Keller. Elle dirigeait la brigade antigang. C'était assez banal, sauf que la femme en question souffrait d'une multiplication du moi, symptôme apparu dans les années quatre-vingt, aux États-Unis. Elle faisait son job avec rigueur et efficacité. Sa personnalité était introvertie, pas excentrique pour un dollar, et soudain elle se prenait pour un petit garçon, parlait avec une voix d'enfant, imaginait qu'elle devenait boulimique, arrivait même à croire qu'elle grossissait, puis quelques semaines plus tard tombait anorexique, et finissait par se forcer à vomir. Bref, c'était original, et d'après Frank, ça devait faire un carton, à condition de diriger l'équipe française sur place. Le nom fut vite trouvé : *Outbreak*. Le succès fut immédiat et James Katenberg devint une figure respectée de la profession en Europe.

À Los Angeles, il continuait d'être *crazy winner*.

James s'était lui-même chargé de recruter l'actrice qui interpréterait Anne Keller. Un peu capricieux, il la souhaitait d'origine allemande pour être une nouvelle fois fidèle à ses origines paternelles. Elle ne devait pas avoir plus de quarante ans. Il la trouva assez rapidement. Elle s'appelait Meinhof. Marina Meinhof. James la convoqua un soir de mai. Il faisait chaud comme en été. Vêtue d'un jean effrangé et d'un débardeur vert, elle lui fit grosse impression. Elle était grande, très mince, de larges yeux gris, des cheveux bruns qui descendaient en cascade dans son dos qu'elle avait droit. Elle devait faire de la danse. Son nez en trompette lui donnait un charme fou. Ce défaut ne fut donc pas pour lui déplaire. James lui avait demandé de pleurer. Elle ne parut pas surprise. En un instant, son regard fut mouillé de larmes. Elle ne sanglotait pas. C'était pire : elle était ravagée de l'intérieur par le chagrin. « Merci », avait dit James. Dorénavant vous êtes Anne Keller. Sa bouche en forme de cœur ne manifesta aucune joie.

Après quatre saisons réussies, les exigences de James avaient fini par inquiéter les producteurs français. Sam Bernier, le réalisateur de la série, avait téléphoné à Frank Schindler pour qu'il flanque James à la porte. Frank avait refusé. Mais il avait été décidé que plusieurs scénaristes encadreraient le travail de Katenberg. Ce dernier boxa l'un d'eux lors d'une violente dispute. Il ne supportait pas qu'on change son texte. Seul Frank pouvait ordonner des modifications. Pour la cinquième saison, James avait décidé qu'Anne Keller se prendrait pour une poule et qu'elle détruirait tous les produits contenant des œufs. Sam Bernier l'avait traité de malade. Et puis James avait fini par coucher avec la belle Marina. Il s'était mis à boire beaucoup, il n'était plus contrôlable. Un soir, alors qu'il tenait à peine debout, il avait dit qu'il venait de faire l'amour avec Charlotte Rampling. En réalité, il s'agissait de Marina dont le corps ressemblait, d'après James, à celui de la célèbre actrice. La cinquième saison fut écrite sans lui. Les scénaristes avaient décidé qu'Anne Keller tombait amoureuse d'une femme lors d'une garde à vue assez torride. En apprenant ça, James avait craché sur la porte de Bernier. Puis il avait retrouvé Marina dans un palace de la côte normande pour vérifier si elle aimait toujours les hommes. La réponse fut oui.

James s'était cependant retrouvé au chômage, sans économies, puisqu'il avait l'habitude de vivre au jour le jour. Frank avait accepté de payer le loyer du duplex qu'il continuait d'occuper.

Eden ouvrit un œil, poussa un cri en constatant qu'elle était nue sous les draps. En réalité, elle se croyait encore en prison. James leva les yeux, il vit Eden en haut de l'escalier, comme dans un film de Billy Wilder. « J'ai cru entendre l'ouverture des verrous, avec l'horreur du bruit métallique, dit-elle, la voix légèrement rauque. Il est sept heures, c'est ça ? »

Il était plus de neuf heures. James finissait son café en se remémorant les off de *Outbreak*, en particulier les caresses sur le corps de Marina. Il se moquait pas mal des cauchemars éveillés d'Eden, de l'alarme de 6 h 55, des restes d'animaux dans les barquettes de repas, de la crasse des douches collectives, du shit pour oublier les conditions de détention. Il ne comprenait d'ailleurs pas pourquoi il s'était entiché de cette fille aussi blonde que Marilyn Monroe. Pas plus qu'il ne comprenait pourquoi il avait été la chercher à sa sortie de prison, et qu'elle vivait désormais avec lui. Elle l'avait excité un temps avec ses seins magnifiques et son cul hollywoodien, mais elle n'était pas parvenue à effacer le souvenir de Marina. Marina, c'était des yeux, une silhouette nerveuse, une peau miraculeuse.

Marina, c'était son dernier amour.

En vérité, l'actrice avait fini par le plaquer. Elle avait trouvé un jeune acteur prometteur qui lui avait fait oublier le ventre et les cheveux grisonnants de James. Enfin c'est ce que se disait le scénariste pour se consoler. Mais il savait que l'alcool et son sale caractère avaient pesé lourd dans la décision de la belle Marina. James avait alors décidé de saboter son travail en proposant, avec un aplomb renversant, l'épisode où Anne Keller se prend pour une poule. James avait même espéré que les producteurs accepteraient cette extravagance pour définitivement se griller auprès de la profession. En vain.

« Trésor, roucoula Eden, écrit ma *life* en prison. Tu penses pas que je vais retourner à l'usine, à trier les haricots chez Bonduelle. » Quand il l'avait rencontrée, Eden était chargée d'enlever du tapis roulant les souris et mulots se trouvant parmi les légumes. Plus il y en avait, mieux elle était payée. Jusqu'à 600 euros de prime par mois. « Tu fais chier ! » répondit James en se levant. Il passa son pantalon kaki, un chino, et un t-shirt blanc. Puis il sortit. Dehors, c'était un temps qui ne ressemblait à rien.

5

James en avait assez de la France, au fond. Il étouffait. Les grands espaces de l'Arizona lui manquaient. Il voulait conduire sa vieille Plymouth 67 sur la route 8, longer la réserve indienne de Fort Yuma, serpenter le long de Colorado River, traverser Cleveland National Forest, déboucher sur la baie de San Diego, l'océan Pacifique enfin. Il voulait respirer l'air sec au milieu des immenses cactus. Il voulait le soleil haut dans le ciel bleu. Il voulait la sauvagerie de l'Ouest. Sa décision était prise : il rentrait aux États-Unis.

*

Au bout d'une heure, James finit par regagner le duplex. Quand il ouvrit la porte, Eden pleurait dans le canapé. Il posa ses clés sur la table en verre et s'assit auprès d'elle, une fesse sur le cuir, l'autre dans le vide. Elle n'en pouvait plus. Elle voulait du shit, de la coke, ou des anxiolytiques. Les trois même. Le cocktail du sommeil. Ses cheveux blonds n'étaient plus soyeux. James s'en rendit compte en les caressant. Elle songeait au suicide. Mais ses yeux bleus disaient le contraire. « J'en peux plus, pleurnichait-elle. J'en peux plus. » James lui répondit qu'elle n'était pas crédible.

— Te fatigue pas, poursuivit-il. Le suicide est très difficile à amener dans un film. Il n'y a pas vraiment de signes annonciateurs. C'est brutal. Le type se tue, sans discours préliminaire. C'est magnifique, un suicide. Tu ne devrais pas salir un acte aussi fort.

— T'es dégueulasse ! hurla Eden, en se redressant brutalement.

James lui répondit qu'elle avait résisté à huit mois de prison. Elle supporterait la liberté.

Eden s'enferma dans la salle de bains. Elle fit couler l'eau chaude sur son corps, longuement, comme elle en avait l'habitude. Un nuage de vapeur se répandit dans l'appartement. James suffoquait. Décidément son ranch lui devenait indispensable. Il pourrait peut-être écrire à nouveau en caleçon, torse nu, sur la véranda, son endroit fétiche. Il regarda l'heure. C'était la nuit à Tucson. Il appellerait plus tard Gus, son gardien. Il téléphonerait également à David Mc Coy, le seul véritable ami qu'il avait gardé chez les producteurs. Lui pourrait le faire travailler sans le bousculer. Il ne l'obligerait pas à revenir à Los Angeles, une ville où la violence verrouillait son cerveau. Pourtant, jeune homme, il l'avait aimée. Il se souvenait des longues balades à Terminal Island. C'était là que la nostalgie des voyages le prenait. Il contemplait le vol des mouettes au-dessus des cargos rouillés qui partaient pour nulle part. Il y avait l'odeur des conserveries de poissons, le sable blanc de San Pedro, les traînées d'huile sur les eaux du port, les ombres presque invisibles du village de la communauté japonaise, rasé après Pearl Harbour. James se souvenait de tout ça, confusément. Le soleil qui dégringolait dans l'océan, colorant l'horizon de rouge, le secouait vraiment. Il ferma les yeux, cette puissante image s'imposa. Une image flamboyante pour en chasser d'autres, si sombres.

David Mc Coy avait la quarantaine érectile, quasiment jamais de cravates, des tennis. Il surveillait sa ligne, ne buvait pas d'alcool, les cheveux courts, comme dans un polar des années cinquante. Ses deux portables étaient toujours allumés. Il n'envoyait que des mails ou des SMS. Il ne répondait jamais aux coups de téléphone, sauf à quelques amis. James faisait partie de ceux-là. David était tout le contraire de Frank. Ils exerçaient pourtant le même métier avec autant de réussite. Ils étaient les pires ennemis du monde. Ça amusait James d'avoir travaillé pour les deux. David souriait peu. Mais quand il souriait, son interlocuteur comprenait qu'il était face à un prédateur sans limite.

Eden sortit de la douche, une serviette autour des cheveux. Elle était nue, les seins tendus comme avant l'amour.

— Baise-moi, dit-elle en pleurant à moitié.

— Tu me saoules, répondit James.

— Alors épouse-moi et quittons la France.

James haussa les épaules. Eden monta dans sa chambre, dépitée, et se laissa tomber sur le lit. Elle s'endormit très vite, ayant dû avaler quelques anxiolytiques au passage afin d'oublier les propos de James. Ce dernier resta dans le salon. Il attendit que la nuit tombe pour appeler David Mc Coy.

6

Jamais une femme ne l'avait aidé à écrire, songea James. Même pas Frances, son unique épouse, qui s'était tirée après le drame. Le célèbre Damon Sépulveda ne pouvait pas pondre un scénario sans une fille à ses côtés. James, lui, était un solitaire, tourné vers le passé, impossible à détacher de son histoire familiale, comme le coquillage sur son rocher. Ou alors au couteau. Il prit une bière dans le frigo. Eden dormait toujours, assommée par les cachets.

Damon Sépulveda, malgré son gros bide et ses lunettes d'écaille, les tombait toutes. James avait travaillé une fois avec lui. Le scénario était franchement mauvais. Il avait fait le buzz.

James se dit que Marina aurait pu avoir une influence sur lui. Mais il n'avait pas su la garder. Elle avait le sens des dialogues. Elle reprenait parfois le texte en affirmant que l'héroïne ne pouvait pas s'exprimer comme ça, surtout quand il s'agissait de scènes de séduction. Elle apportait sa touche féminine. James y était sensible.

Sépulveda, Marina, Eden dans les vapes, tout ça tournoyait dans sa tête. Vautré dans le fauteuil, il attendait la nuit noire, le plein soleil à Los Angeles.

*

David rappela James une minute après que ce dernier eut laissé un message sur sa boîte vocale. Il était ravi de lui parler. Le brouhaha de son bureau tranchait avec le silence du salon où James se trouvait toujours.

— Je suis sûr que tu veux retravailler pour moi, affirma David. C'est normal. Je suis le meilleur producteur et tu es le meilleur scénariste. Ensemble, on fait un super boulot.

— Je vais rentrer à Tucson, dit James. Pas à Los Angeles.

— Travailler sur la faille de San Andreas nous pousse tous à nous surpasser, rétorqua David. L'éminente dignité du provisoire nous fait apprécier chaque instant de la vie. On jouit en dansant sur un volcan, ajouta-t-il, heureux de la décision du scénariste.

— La violence de la nature ne me dérange pas, dit laconiquement James. C'est celle des hommes que je redoute. Et puis Beverly Hills me fout le cafard. La villa de ma mère existe toujours, conservée dans son jus. Mais je suis prêt à revenir aux États-Unis. Je ne supporte plus la dépression chronique des Français. Ils s'agitent comme des hamsters.

— Je n'ai pas compris ton exil, dit David. Encore moins ton choix de bosser sur cette série qu'on aurait pu faire à Hollywood avec un succès planétaire à la clé. L'actrice est canon.

James n'avait pas envie de parler du passé. David non plus. Il avait été diplomate en ne citant pas le nom de Frank Schindler. L'essentiel était de trouver un bon sujet capable de créer l'événement. Et David Mc Coy en tenait un.

Un *executive* d'Hollywood avait toujours un projet sur son bureau. Mais là, c'était le sujet pour James. Et le scénariste avait pris la décision de téléphoner à David. Le destin les réunissait à nouveau. Il fallait foncer.

— Je vais produire un film sur la tuerie de Tucson, annonça David, celle de janvier 2011, qui a fait six morts, dont un juge de la cour fédérale du ressort de l'Arizona. On a affirmé que le tueur, arrêté peu après la fusillade, était un déséquilibré, mais c'est en réalité un acte politique. Le tueur visait une députée démocrate. Cela témoigne de la crispation des mentalités. Tu as dû suivre l'affaire ?

— Oui, répondit James. Une petite fille de neuf ans est morte dans la tuerie. Elle s'appelait Maria et était née le 11 septembre 2001. L'enfant avait figuré dans un livre de photos, *Faces of Hope*, je crois, parmi les bébés originaires des cinquante États américains, tous nés le jour de la plus grande tragédie de l'histoire des États-Unis. C'est ce point-là qui est le plus troublant, à mon avis.

— Excellent ! s'écria David. Quelle mémoire ! Tu as tout pigé, en plus. Tu es déjà en train d'écrire le scénario.

James n'était pas aussi enthousiasme. Il allait revenir à Tucson pour écrire à nouveau pour le cinéma ou la télévision, mais pas pour se lancer dans un sujet politique qui déclencherait la polémique. Il laissait ça aux trentenaires. David comprit au son de la voix de son interlocuteur qu'il ne fallait pas insister pour le moment. Ça devait décanter. James avait toujours été ainsi. Il avait besoin de temps pour adhérer pleinement à un projet. Après, il ne lâchait plus le morceau. Au meilleur de sa forme, il pouvait commencer un deuxième scénario, puis un troisième, passant de l'un à l'autre, sans jamais commettre la moindre erreur. Il virevoltait avec succès. À l'image de sa mère, pensa David Mc Coy, qui garda pour lui cette remarque.

— Tu as toujours Helena Astor comme agent ? demanda David.

— Je l'ai virée ! Cette hystérique ne savait que gueuler. Je n'ai besoin de personne pour lire un contrat.

Les choses étaient claires. David mit fin à la conversation en disant qu'il avait plusieurs rendez-vous et qu'il devait raccrocher. James répondit qu'il avait la nuit devant lui. Eden dormait toujours. Les médicaments l'avaient vraiment anéantie.

James prit une bière dans le frigo et se passa un épisode de Columbo, hommage discret rendu à l'inspecteur Porfiri, de *Crime et Châtiment*. La série avait techniquement vieilli, mais le personnage, joué par un Peter Falk inspiré, restait une réussite. Après avoir descendu la moitié de la canette, il mit l'épisode trois de la saison un intitulé *Poids mort*. L'histoire n'avait plus aucun intérêt pour lui. Il l'avait vu des dizaines de fois. Mais il attendait la scène où Columbo, revenant d'une promenade en mer avec le général Martin Hollister, meurtrier du colonel Dutton, commande un chili con carne chez un restaurateur italien. James fit un arrêt sur image pour regarder les photos en noir et blanc accrochées au mur, derrière le bar. Il y avait là, dévotement encadrées, quelques célèbres actrices hollywoodiennes. Parmi elle, sa mère, Eva Lopès. Elle était là, dans ce resto fréquenté par le redoutable inspecteur Columbo, bien sage sur son mur, le contraire de ce que fut sa drôle de vie.

James la regardait en finissant sa bière. Eva levait les yeux au ciel, ses larges yeux sombres, implorant Dieu, les cheveux noirs tombant sur ses épaules nues. Et ses lèvres pleines comme une cerise en juillet.

Si la pièce avait été éclairée, on aurait vu que son fils pleurait.

7

Eden l'avait trouvé endormi sur le canapé, la télécommande sur le ventre, plusieurs canettes de bière cabossées sur le parquet. Elle pesta. James ouvrit un œil. Ses paupières étaient gonflées. Il ressemblait à un batracien. « T'as regardé quoi ? » demanda Eden. Comme il ne répondait pas, elle appuya sur le bouton *on* de la télécommande et vit la silhouette du célèbre inspecteur.

— C'est pas vrai ! hurla-t-elle. Quand vas-tu sortir de ton train fantôme ?

— Jamais, répondit-il.

Eden ne comprenait pas pourquoi James ne regardait pas un film où sa mère jouait. Il y en avait de sublimes. « Trop dur, dit-il. En photo, elle est morte. Ça correspond à la réalité. Dans un film, elle est si vivante, si belle, si irradiante. » Il marqua une pause, se redressa en grimaçant, puis ajouta : « Les films sont des cimetières. »

La journée s'étira sous un soleil gris. James ne fit rien, Eden n'importe quoi. Elle reprit des médocs, fuma du shit et alla se recoucher sans s'être lavé les dents. Après le journal télé de vingt heures, dont le générique entra par la baie vitrée du salon, Eden se leva. Elle était pâle comme l'aube, portait un short froissé, ainsi qu'un sweet à capuche de la police de Tucson. Elle flottait dedans. Il appartenait à James. Elle était cafardeuse. James eut soudain faim. Il se prépara des œufs brouillés et décapsula une bière. Eden se frotta à lui, comme un chat affamé. Il rajouta deux œufs. « T'es mignon quand tu veux, dit-elle. Mais tu devrais pas manger des œufs, et surtout pas fouiller dans ta mémoire comme ça. Tu es fait pour écrire. Ma *life*, écris ma *life* en prison. »

Ils s'assirent sur les tabourets et mangèrent les œufs sur le bar de la cuisine. Eden mit beaucoup de ketchup. Quand elle se penchait pour avaler ses œufs, sa poitrine frottait contre le bois du bar. Elle avait de gros seins. Marina était plate mais elle avait de grands yeux tristes. Il préférait les gros seins aux grands yeux tristes. C'était moins dangereux. Il pensait à ça, tout en nettoyant son assiette avec un morceau de pain.

— Je vais rentrer à Tucson, lâcha James.

— Et moi ? demanda Eden.

— Je ne sais pas. Je ne pense pas que tu puisses vivre dans un ranch au milieu de nulle part.

— Tu veux me quitter ?

— Je te dis seulement que je vais partir pour retravailler avec David Mc Coy.

— Je veux venir avec toi, dit Eden.

Son regard secoua James. Il ne souhaitait pas qu'elle vienne, mais il ne voulait pas la quitter non plus. Sa présence pouvait être électrisante, à condition qu'elle sorte définitivement de la dope.

— Et que feras-tu à Tucson ? demanda James.

— Je te regarderai écrire ma vie pour ton David. Je claquerai l'argent après.

— Tu as le sens des affaires, rétorqua-t-il.

— Et du frisson, répondit Eden en posant la main sur son sexe. J'ai envie de te sucer.

James jouit dans sa bouche en fixant le bleu de ses yeux, sa came à lui. Puis Eden s'allongea sur la table, écarta les cuisses, après avoir ôté son short, et James la lécha longuement. Sa langue était précise. Il aimait l'odeur de son sexe et la finesse de ses lèvres. Eden se contracta et poussa un long râle. Son corps, pendant plusieurs secondes, parut secouer par une sombre houle.

Ils allèrent se coucher ensemble. James avait cédé. La chambre du second niveau resterait fermée. Ils ne dormirent pas. Ils parlèrent une partie de la nuit. La lune éclairait la chambre, jetant un pâle éclat sur le ventre lisse d'Eden. On eût dit une adolescente. « Je suis bien avec toi, soupira-t-elle. C'était dur la taule, mais j'ai supporté parce que je savais que t'étais là, que tu m'attendais. T'as le droit de te foutre de ma gueule. L'argent que tu me filais permettait d'acheter des clopes, de la bouffe, même du PQ. Sinon, on a que dalle. J'ai acheté du shit aussi, je l'avoue, mais c'était pour tenir le coup. La perte de la liberté, c'est terrible. Tu sais que je suis outrageusement libre. » James répondit qu'il détestait les adverbes.

Elle avait besoin de parler de son expérience de la prison. De la promiscuité dans la cellule, surtout. Elles auraient dû être trois, elles étaient quatre, ça changeait tout. Il n'y avait que trois lits, un matelas avait été rajouté qu'il fallait ranger dans la journée. La table était toujours encombrée, l'évier dégueulasse, et le frigo trop petit. Le pire, c'étaient les toilettes. Eden y revenait sans cesse dans son monologue nocturne. Les toilettes étaient derrière un rideau. Il y avait le bruit, et les odeurs surtout.

— Tu pourras pas faire venir les odeurs dans ton livre, dit-elle à James.

— La littérature peut tout, ma belle, murmura-t-il, en caressant ses seins.

Le principe de catharsis fonctionnait. Eden avait besoin de parler, c'était compréhensible, même si James n'était pas enclin à écouter les autres. « Tu n'auras pas les mêmes problèmes à Tucson », dit-il en se levant pour allumer une cigarette. Elle le traita gentiment de con, trop heureuse qu'il accepte qu'elle soit du voyage. « On regardera les étoiles au-dessus du désert », dit-elle. « Jusqu'au petit jour qui viendra les enlever à la nuit », ajouta-t-elle. James acquiesça de la tête.

Elle se leva à son tour pour le rejoindre sur la terrasse, le corps enveloppé dans la couverture mexicaine qu'elle avait toujours vu sur le lit de James. Elle se blottit contre son torse. Il fumait, les deux mains posées sur la rambarde métallique, scrutant le ciel. Elle l'aimait. Pourquoi refusait-il cet amour-là ?

L'air ne sentait rien, il faisait frais pour la saison. Les derniers jours, elle avait pourtant crevé de chaleur dans sa cellule située au dernier étage de la prison, quasiment sous les toits.

— James, tu finiras par m'aimer, tu verras.

— Je tiens à toi, mais je ne t'aimerai jamais.

— Pourquoi ?

— Parce que.

Il finit sa cigarette qu'il projeta dans le vide d'une pichenette. Elle se recoucha, le corps bien au chaud dans la couverture.

Dans la nuit, James se réveilla et s'éloigna le plus loin possible d'Eden. Elle soufflait fort, ça le gênait. Pour un peu, il aurait filé sur son bon vieux canapé. Mais il était trop fatigué pour bouger. Il avait bu. Son corps éliminait difficilement les toxines. Il regarda l'heure sur l'écran de son smartphone. Il était 4 h 33. 19 h 33 à Tucson. Le soleil disparaissait derrière les montagnes. Le désert de Sonora bleuissait. James ne se rendormit pas.

8

Après avoir préparé le café, James alluma sa première cigarette. Eden continuait de dormir. Dès le deuxième jour, elle avait passé l'heure fatidique de 6 h 55. Ce qui le décevait car il considérait que le plus grand penseur moderne était Ivan Pavlov. Le conditionnement était ce qui caractérisait le mieux l'époque. Tout était fait dans ce sens, de la naissance à la presque mort. Et celui qui y échappait était soit autiste, soit vraiment fou.

Eden entra dans la cuisine. Ses cheveux blonds en bataille lui donnaient un air encore plus rebelle qu'à l'accoutumée. Elle portait un vieux débardeur qui ne lui cachait même pas l'aigle tatoué au creux des reins. Ses ailes, comme dans la chanson de Barbara, étaient déployées. Au-dessus, était écrit en lettres rouges : « never clip my wings ». Quant à ses fesses, elle les offrait au regard concupiscent de James.

« T'as vu, j'ai passé le cauchemar de 6 h 55 », dit-elle, en se servant du café. Elle en but une gorgée. Il était moins amer qu'en prison. Elle s'assit en face de lui. « J'ai plus à me presser pour prendre ma douche, lâcha-t-elle, tout en baillant. Si t'étais dans les dernières, t'avais à peine le temps de te savonner le corps avec ce putain de savon de Marseille. Il y avait des connasses qui s'amusaient à compter mes grains de beauté. J'étais devenue une vraie obsession. Heureusement que tout ça, c'est fini. Je retournerai jamais en taule. Si un jour, on fait un casse, et que ça tourne mal, il faudra que tu me butes. C'est un ordre ! »

James ne répondit pas. Il acceptait de mettre au point le scénario d'un casse, mais uniquement pour le cinéma.

Eden finit son café, sans rien manger. Puis elle continua sur l'idée du braquage. « J'ai connu une fille en prison, Vanessa. Son keum est déjà monté sur des coups hyper tendus. Elle m'a proposé de participer à un braquage. Un truc pas trop dangereux, au début. Des vieux commerçants qui se laisseront dépouiller. Ou des apparts de bourges. J'ai le numéro du keum à Vaness. Il s'appelle Youssef. Et son pote c'est Tom, "la lame de Pantin". Tu veux qu'on lui téléphone ? » James ne répondit toujours pas. Il laissait Eden délirer. Elle avait quitté la boucle de la prison pour une autre boucle. Eden était comme ça, elle passait d'une boucle à l'autre.

— Tu dois avoir des armes dans ton ranch ? demanda-t-elle. Des fusils, des revolvers ! C'est en vente libre au Texas...

— C'est en Arizona, précisa-t-il.

— On s'en fout, lança Eden. C'est pareil. C'est partout en vente libre. On va faire un braquage dans l'ouest des

États-Unis. On a pas besoin des potes à Vaness. On fera ça tous les deux. Après chaque coup, on ira se réfugier dans ton ranch…

James l'écoutait d'une oreille distraite. Il lisait sur sa tablette les informations concernant la tuerie de Tucson. Il portait des lunettes, ce qui le rendait définitivement craquant, selon Eden. « Tu fais prof avec tes lunettes, dit-elle. J'avais oublié que tu en avais besoin. Il est pas tout jeune mon homme. » James restait muet. Il essayait de savoir si la fillette abattue par le tueur, fillette née le 11 septembre 2001, l'avait été par hasard ou non. « Tu sais, reprit Eden, j'ai pas été foutue à la porte de chez mes parents, du lycée, et de la pension pour avoir juste dit "merde". J'ai fait d'énormes bêtises, James Katenberg. J'ai fait les pires trucs. Faut savoir que tu as en face de toi une multirécidiviste. J'ai foutu le feu, planté un couteau dans la main d'une débile de prof de maths, sniffé de la coke, j'ai recherché ma salope de mère qui a osé se tirer, alors que j'avais pas huit ans, laissant mon père s'occuper de moi. Je peux t'en dire sur moi. Je suis une psychopathe. Tu connais pas dix pour cent de ma *life*. Bien sûr, je suis pas sur Google comme James Katenberg, j'ai pas ma fiche Wikipédia… » Eden s'énervait toute seule. Ses lèvres se tordaient sous l'émotion, et ses seins tremblaient sous le débardeur décidément trop petit. « Tu devrais penser à ne pas oublier les négations quand tu parles », lâcha James, irrité d'être perturbé dans son travail.

Eden se leva d'un coup et brisa le bol de café. « Tu es un monstre d'égoïsme ! s'écria-t-elle, les joues en feu. Y a que ta petite personne qui compte. Ta gueule, ta belle gueule. Et tes petites affaires de famille. T'es autocentré grave ! »

Elle s'était coupée en marchant exprès sur les débris du bol. Le sang coulait par petites gouttes. James prit une branche de ses lunettes et s'en servit pour touiller le sucre qu'il venait d'ajouter à son café.

— Pourquoi tu veux pas m'aimer ? pleurnichait-elle, le débardeur découvrant son nombril. On est pareils tous les deux.

— À la naissance, tu disposes d'un capital soleil qui diminue au long de la vie lors des expositions, expliqua-t-il froidement. Une fois ce capital épuisé, tu ne bronzes plus. Tu restes blanc. Pour l'amour, il en est de même. J'ai épuisé mon capital, voilà tout.

— T'es nul à chier, fit Eden, le visage plein de larmes.

Elle sortit de la cuisine en boitillant, et se réfugia dans la salle d'eau. James en profita pour finir de lire l'article sur la tuerie de Tucson survenue le 8 janvier 2011.

9

Comme Eden continuait à bouder dans la salle d'eau, James se munit d'une pelle et d'un balai pour ramasser les débris du bol qui jonchaient le carrelage maculé de petites taches de sang. Eden était une désaxée mais il la comprenait. Il faut reconnaître qu'elle avait eu une enfance plutôt cabossée, une mère qui abandonne le foyer ! Son père étant capitaine au long cours, il avait dû la placer rapidement en pension. Malgré tout, il lui rendait visite chaque fois qu'il rentrait à son port d'attache, Le Havre. Le capitaine avait veillé à ce que sa fille ne manque de rien. Il entendait par là qu'elle ait des habits chauds l'hiver, des chaussures confortables pour aller au lycée, et de l'argent à sa majorité. La jeune fille avait souffert de ne pas avoir l'essentiel : l'affection. Le capitaine n'était pas expansif. Il n'avait jamais embrassé Eden. Après le départ de sa femme, il s'était définitivement refermé sur lui-même.

Par une chaude journée de décembre, dans le port de Valparaíso, une caisse de sardines en conserve s'était détachée et lui avait broyé les deux jambes sur le pont de son cargo.

Il fut sauvé in extremis. Mais on avait dû lui couper les jambes jusqu'aux genoux. Deux ans plus tard, accro à la morphine, il se fit exploser la cervelle. Eden le retrouva dans son pavillon, le corps disloqué dans son fauteuil roulant couvert de sang. Il avait réussi à coincer le fusil entre ses cuisses et à appuyer sur la gâchette. Eden l'avait découvert le samedi midi en rentrant du pensionnat.

Quant à sa mère, elle n'avait plus jamais donné signe de vie. Elle était née à Anvers et se prénommait Caithlyn. Elle travaillait comme hôtesse dans un bar à marins, La Porte blanche, quand le capitaine au long cours fit sa connaissance. Il était célibataire, gagnait bien sa vie ; il était baraqué, aimait les blondes aux yeux bleus, de ce bleu que le gel donne à la peau une fois la mort passée. Et puis, même à terre, il semblait naviguer sur les océans. Pas de temps à perdre en déclarations mièvres. Un an après, Caithlyn habitait le pavillon en meulière et donnait naissance à Eden. Elle finit par se lasser des très longues absences du capitaine, du ciel de cendre, des crises de la petite, décidément pas facile. Lors de leur première rencontre, elle avait vingt-six ans, le capitaine quarante-neuf ans. La situation était pourrie à l'avance.

Dans une telle configuration, la mère de James se serait écriée : « ¡ *Mi vida es un tal desperdicio* ! »

*

— T'as vu mes pieds, dit Eden, le visage gonflé par les larmes.

— Je vais les nettoyer, répondit James. Pour toi, je me transforme en Marie-Madeleine.

— C'est quoi encore cette connerie ! hurla-t-elle. J'ai peur que ça s'infecte. Les pieds, c'est vachement important dans la vie.

James prit du coton et du désinfectant. Il enleva les éclats de faïence incrustés dans la peau. Eden écartait les cuisses et on voyait sa fente découpée net. « Pas question de me nettoyer celle-là, dit Eden. Tu me reluques comme un vieux pervers. Heureusement que je kiffe tes yeux verts. »

Eden était désaxée, certes, mais elle était franche. Elle ne calculait pas.

Bien sûr il n'y avait pas que cela. La rencontre, tout d'abord, quand James était au fond du trou, largué par cette actrice qu'il avait découvert et qui l'avait trompé. La conformité de peau, ensuite, qui lui avait permis de gommer les souvenirs avec la brune piquante. Gommer, le verbe était un peu fort. Disons, estomper. Le schéma familial, enfin. La mère de James l'avait quitté très tôt, le laissant seul avec son père, nageur olympique. Celui d'Eden était marin. De quoi apprendre à leur progéniture à éviter de se noyer.

C'étaient deux solitudes qui se soutenaient dans l'égoïsme de l'un et l'hystérie de l'autre.

Eden regardait James lui laver les pieds. Elle trouvait ça touchant. Tout était touchant chez lui. C'était un enfant qui n'avait pas grandi. Un adulte n'aurait pas eu de tels gestes à l'égard d'une petite conne qu'il n'aimait pas. Ou alors il l'aimait, mais sans être capable de le lui dire. Il avait morflé avec la précédente, l'actrice d'un rôle, la « bouffeuse de saucisses » comme l'appelait Eden, en ajoutant « avec un s à saucisses ». Car elle était persuadée que Marina avait eu plusieurs aventures pendant qu'elle prétendait vivre une histoire d'amour avec le célèbre scénariste. Elle avait du flair pour démasquer celles qui baisaient compulsivement. Un regard lui suffisait.

Eden n'était pas de tout repos. Elle avait abandonné le lycée, mais elle portait un jugement assez sûr sur les hommes, déjouait leurs manigances ainsi que leurs misérables calculs. Elle anticipait leurs coups tordus. James était différent. Il était amoureux de sa mère. Il ne grandirait jamais. Et puis la prison avait endurci Eden. Elle était désormais à l'image du Havre, sa ville natale : un bloc de béton. Béton qui serait bientôt armé, pensa-t-elle. L'Arizona est l'État où se vendent le plus d'armes à feu. Elle rêvait de posséder un pistolet Sig Sauer en acier brossé.

« Alors je tél à Vanessa ? » demanda-t-elle, tout à trac. James continuait de désinfecter ses plaies superficielles. Il ne voulait pas entrer dans son jeu, ses provocations de névrosée capricieuse. « Vanessa, elle m'a appris les codes de la taule, tu sais. C'est elle qui m'a aidée à cantiner. Je me serais fait gruger sinon. Les autres taulardes auraient pris tout mon fric. Surtout pour le shit. Et puis elle m'a vachement protégée. » James répondit que la plaie était nettoyée. Il ajouta : « Va prendre ta douche, habille-toi. Je dois téléphoner à David. »

Au même moment, la photo de Marina s'afficha sur l'écran de son smartphone. James hésita avant de répondre. Eden comprit qu'il s'agissait de Marina. Son visage s'empourpra. Même son cou vira au rouge. Elle se leva, et claqua la porte de la salle d'eau, où elle trouva une nouvelle fois refuge. James laissa parler Marina. Elle voulait le voir, c'était urgent. Il lui fixa rendez-vous dans un bar qu'il appréciait, à vingt heures, le soir même. Il lui demanda pourquoi elle voulait le voir si vite. Elle raccrocha.

10

James portait son éternel chino, une chemise blanche et une veste de lin. Il sentait bon. Eden avait juré que s'il allait au rendez-vous, elle le quitterait. James lui répondit OK, et il partit.

Le bar était classique. Lumière douce, acajou au mur, banquette de moleskine rouge. Il commanda un bourbon sans glace. Un Américain qui boit un bourbon sans glace peut tout entendre. Il vit Marina se faufiler entre les tables, dans une robe très courte. Ses cheveux étaient ramenés sur la nuque en queue de cheval. Elle était à l'heure, ce qui finit de l'inquiéter. Elle se planta devant lui, paraissant immense, la taille moulée dans le tissu noir. Cette petite robe accentuait sa minceur. On aurait cru un os de seiche. Marina tira nerveusement la chaise pour s'asseoir. Elle commanda un jus de fruit. Son teint était celui des femmes qui ne mangent que des produits bios. James but son bourbon.

— Tu es là, c'est cool, dit-elle, avec un regard qui signifiait « tire-moi de cette merde ».

— Je t'écoute, répondit James, en claquant des doigts pour que le garçon lui apporte un autre bourbon sec.

— Je suis enceinte. Et je te le dis tout de suite, je ne veux pas avorter. Il faut que tu m'aides.

— Qui est le père ?

— Ça ne te regarde pas, répondit Marina, la bouche découvrant une dentition parfaite de lionne.

— Le père, c'est celui avec lequel tu m'as cocufié, balança James.

Marina porta le jus de fruit à ses lèvres pour réfléchir à ce qu'elle allait répondre. Son visage, même sans maquillage, ressemblait à celui de Nana, le personnage de Zola que James connaissait bien, puisque sa mère l'avait interprété avec une fraîcheur inégalée. Elle avait dû s'éclaircir les cheveux pour le rôle. Ce fut la seule fois. Elle avait hésité, paraît-il, croyant que seule la couleur jais de sa chevelure lui permettrait d'avoir son étoile sur le Walk of Fame.

— Alors c'est le jeune ténébreux qui t'a mise en cloque, fit James, l'haleine parfumée au bourbon, irrité d'attendre une réponse qu'il subodorait.

— C'est sérieux entre nous, répondit-elle, avec l'aplomb de son personnage de flic.

— Avec nous, ça aurait pu l'être tout autant, tu sais.

James avait son regard de vieux sentimental qui donnait l'impression qu'il allait se flinguer à la fin de l'entrevue. Marina reposa le jus de fruit. Pour boire ce genre de boisson, pensa-t-il, c'est qu'elle devait réellement être enceinte. Mais il restait soupçonneux. Marina était une manipulatrice, capable de tout pour parvenir à ses fins. Elle avait trop attendu le succès pour le laisser filer sans se battre.

— Je croyais que ta carrière passait avant tout le reste, dit James. Qu'est-ce que c'est que cette connerie de tomber enceinte alors que tu es à présent célèbre et sûrement très sollicitée ?

— On ne prévoit pas ce genre de chose, répliqua Marina. Ça vous arrive et on accepte, c'est tout. Je n'y croyais plus : le rôle en or, le mec, l'enfant. C'est mieux que dans un scénario de James Katenberg parce que là, c'est vrai.

Le scénariste ne répondit rien. Tout baignait pour Marina, en fait. Il ne comprenait pas ce qu'il faisait devant cette femme qu'il avait tiré de l'ombre et aimé vraiment. Il aurait pu être le père de cet enfant qu'elle portait dans ce corps désormais trop osseux à son goût. Ils avaient abordé le sujet, un soir, se promenant main dans la main sur une plage dont ils ignoraient le nom. Il avait alors répondu qu'ils s'étaient rencontrés trop tard, sans développer davantage.

— Marina, qu'attends-tu de moi ? demanda James.

— Je ne peux pas abandonner *Outbreak*, avoua Marina, même si les audiences sont moins bonnes depuis que tu n'es plus aux commandes de la série. Je voudrais que tu interviennes pour que la femme que j'incarne soit enceinte et continue de travailler le plus longtemps possible. Ensuite je suis remplacé et je reviens après l'accouchement. Ça montrerait qu'une femme moderne peut être flic, enceinte, maman. Tu vois, ça serait un message fort. Je suis certaine que le public adhérerait et que l'empathie ferait remonter l'audience. Le mérite t'en reviendrait. Tu signerais un retour gagnant. Le winner is back.

— C'est sympa sur le papier, répondit James en sirotant son troisième bourbon. Mais je suis hors-jeu, ma belle.

— On n'est jamais hors-jeu quand on a ton talent, lâcha Marina.

James savait que la production profiterait du congé maternité de Marina pour arrêter une série à bout de souffle. Un groupe de scénaristes devait être déjà réuni dans un hôtel luxueux pour réfléchir à une nouvelle série avec davantage d'action et moins de dialogues. Quant à Marina, elle était atteinte par la limite d'âge.

James finit son bourbon. Il regardait cette actrice qui allait devenir maman et disparaître des radars des producteurs. Il se remémorait le soir où il comprit qu'il l'avait perdue pour de bon. Un SMS était apparu sur l'écran de son smartphone. C'était fini, lui disait-elle. Il pleuvait sur les baies vitrées de l'hôtel où il se trouvait. Il était seul. Il valida la rupture en ne répondant pas. Il s'allongea sur le lit, fixant l'applique qui diffusait une lumière blanche d'hôpital. Son estomac lui faisait mal, il avait la gorge serrée. Il se trouvait à Los Angeles, non loin de la villa aux tuiles orangées où sa mère, Eva Lopès, était morte.

Dehors, il y avait les collines et les palmiers nettoyés par le vent du large qui hurlait de plus en plus fort.

11

Sur le chemin du retour, James se dit que son cœur ressemblait à fin août, quand les marronniers sont déjà tout rouillés. Il ouvrit la porte de son appartement et comprit aussitôt qu'Eden avait mis sa menace à exécution. Elle avait rassemblé ses affaires qui tenaient dans un sac et s'était tirée. Sur la table il trouva un mot. « Je me barre. Voici le numéro de Vanessa. Je vais chez elle. Ne cherche pas à me revoir. Eden qui t'aime et que tu n'aimes pas. »

James prit une bière dans le frigo, puis s'assit, les pieds posés sur la table basse du salon, et appela Gus, le gardien de son ranch. Il était bien décidé à quitter la France, surtout s'il devait faire un carnage chez Vanessa.

— Hey Gus, c'est James. Comment ça va sous le ciel d'Arizona ?

— Salut, patron, répondit Gus, la voix aussi rocailleuse que les sentiers de Santa Catilina. Je viens juste de réparer votre vieille Plymouth. Elle bouffait de plus en plus d'huile.

— Tant mieux, c'est bon signe. Tu ne penses pas que je vais acheter une Mercedes comme tous ces culs à hémorroïdes de Beverly Hills !

James lui annonça qu'il rentrait à Oro Valley, seul ou accompagné, il ne savait pas encore, ça dépendrait de la réussite de son raid à venir. Il rentrait définitivement, pas pour quelques semaines, comme il avait l'habitude de le faire depuis qu'il avait accepté de travailler en France. Gus ne laissa pas éclater sa joie, c'était un taiseux. Mais il était heureux. Il commençait à trouver le temps long au milieu des rochers et des cactus. Gus avait un peu plus de soixante-dix ans. Il avait travaillé comme palefrenier dans une écurie de course. Une vilaine blessure à la hanche l'avait empêché de poursuivre son métier. James l'avait rencontré par hasard à l'aéroport de Los Angeles. Il claudiquait et faisait la manche. Avant de lui donner de l'agent, James lui avait posé la question suivante : « C'est pour quoi faire ? » Et Gus, qui ressemblait à Hemingway, répondit ceci : « C'est pour les boire. » Non seulement James lui avait donné toute la monnaie que contenait la poche de son chino mais il l'avait engagé sur-le-champ. Quand il racontait cette histoire, on ne manquait jamais de lui rétorquer qu'il avait encouragé l'alcoolisme. « Faux, disait-il. J'ai récompensé la franchise. »

James adorait Gus, son côté grizzly, et son éternelle salopette.

Il finit sa bière et téléphona à Vanessa. Elle lui donna son adresse sans la moindre réticence. Il avait une belle affaire à proposer, dit-il d'un ton convaincant. Vanessa et son mec se moquaient des affaires de cœur d'Eden. Ce qu'ils espéraient, c'était un coup qui rapporte du cash. Vanessa semblait planer. L'adresse inquiéta quelque peu James. C'était à l'est de la ville, dans un quartier où la drogue et les armes se vendaient comme un paquet de café. James chaussa ses bottes avec bout en acier, prit son Smith & Wesson M40 qui avait passé sans problème les portiques des aéroports puisqu'il avait voyagé dans les bagages de son vieux copain du FBI, Robin Bakker.

Avant de partir, James but une vodka et sniffa de la coke. Un cocktail tonique pour une action qui exigeait un peu d'inconscience.

Quand James vit Vanessa, il comprit que c'était inutile de parler. Elle était complètement shootée. Son mec était tout en muscles, le crâne rasé au-dessus des oreilles, laissant juste une crête, et son regard ressemblait à celui d'un psychopathe à la recherche d'un chat à mutiler. Il fallait opérer vite. Eden était camée à mort. Il la saisit par le bras, sans lui parler. Elle grogna mais ne put résister. Son corps semblait mou comme de la guimauve. Vanessa refusa que James sorte. Il lui dit d'aller se faire foutre. Pour toute réponse, elle le griffa à la joue droite. James ne sentit rien car son cocktail agissait. Il répliqua en la frappant au tibia, ce qui provoqua sa chute. Elle hurlait, tandis que son mec bondit du fond de la pièce. James lâcha Eden qui s'écroula sur le tapis. Il sortit son pistolet et le menaça de lui tirer dans le ventre. Il cria : « Fils de pute, tu vas crever dans les pires souffrances. Même ta mère a moins souffert pour te mettre au monde. » Le caïd à la peau cuivrée sortit une lame de derrière son dos.

— Je vais te saigner, le Gaulois !

— Je suis américain, *cocksucker.*

Il appuya sur la détente en visant le genou qui explosa. Le caïd s'écroula en hurlant. Il y avait du sang et des bouts d'os sur son pantalon. Vanessa tenta de se relever et, ivre de violence, James lui flanqua un coup de pied au visage. L'acier de sa chaussure broya l'arête de son nez. Puis il souleva Eden comme un sac de plumes, et ils se retrouvèrent très vite dans la cour. Là, une dizaine de types les attendaient. Sans se dégonfler, James leur lança : « Le premier qui approche, je le bute. » L'air frais réveilla Eden. Elle put marcher en se tenant à James qui jetait un regard d'halluciné aux types sur leurs gardes. La volonté de tuer était de son côté. Le gang l'avait pigé. Une fois dans la rue, personne n'osa les suivre. Des sirènes de police retentirent dans le lointain. Eden et James parvinrent à disparaître dans ce quartier malfamé. James avait fait de nombreux repérages pour la série *Outbreak.* Comme quoi un esprit méticuleux finit toujours par être récompensé.

Une fois chez lui, James rangea son arme, but une bière bien fraîche, sans toucher à la vodka, ni à la coke. « T'as eu raison de les buter, balbutia Eden, encore planante. Je les sentais pas. » James avait agi de la sorte pour être sûr de prendre un billet pour Tucson.

L'Europe, c'était terminé.

Le lendemain, David Mc Coy acceptait de lui réserver immédiatement deux places d'avion. Il n'y aurait pas de déménagement. James laissait tout sur place. Il voyagerait les mains dans les poches, comme il l'avait toujours fait.

L'essentiel était de déguerpir. James ne craignait pas la police française, incapable d'enquêter dans les quartiers sensibles, mais plutôt le mec de Vanessa, et sa bande de dingues.

Quand Eden se réveilla, James lui annonça qu'ils partaient pour Tucson. Eden cria comme si on lui crevait les yeux. « Alors, tu veux bien de moi, dit-elle, en pleurs. Tu crois que je vais supporter le désert ? Doit y avoir des bêtes mortelles ? » Eden était égale à elle-même, à la fois enthousiaste et névrotique. James aurait dit : emmerdante.

— Mon homme, minauda Eden, où as-tu appris à te battre comme un gosse de banlieue ?

— Au lycée français de Los Angeles, répondit James. Un endroit chic où les enfants de célébrités, souvent désœuvrés, voulaient me tester. Ils ont vite compris que le test n'était pas concluant. Ça m'a dégrossi de leur péter la gueule. J'ai également traîné sur les docks. Certains potes m'ont montré comment ne pas mourir sous les coups de la vermine. Au lycée français, j'étais très ami avec Jodie Foster. Elle aimait beaucoup ma mère. Elle avait vu la plupart de ses films. Elle disait que ma mère était un élément chimique inconnu qui créait un phénomène unique mélangé aux autres. C'était métaphorique, ça me plaisait assez. Jodie est née en 1962, l'année où mother est morte.

James faillit ajouter qu'il avait le même âge que Jodie. Il se tut. Eden lui aurait posé trop de questions.

— Pourquoi tu es allé au lycée français ?

— Une lubie de ma mère. Elle affirmait que le français, c'était la langue des livres.

— Elle prenait soin de toi, dit Eden.

— La mort ne lui en a pas laissé le temps. C'est mon père qui a suivi les instructions qu'elle avait consignées dans un carnet de cuir rouge.

En disant cela, James se crispa. Il n'avait pas l'intention d'évoquer davantage sa mère. Il sentait qu'Eden devenait trop curieuse. Elle s'intéressait à sa vie à un mauvais moment. De toute façon, ça serait toujours un mauvais moment quand elle se mettrait à l'interroger sur son enfance. Le téléphone vint à son secours. C'était David Mc Coy. Il avait pris deux places en business pour le lendemain.

— Mais j'ai rien à me mettre !

— On achètera tout sur place. C'est ça le luxe, répondit James.

Avant de partir, James fit une dernière chose. Il appela l'agent spécial Robin Bakker. Il sortit de l'appartement. Bakker l'écouta attentivement. Il promit qu'il s'occupait de tout, en particulier du visa et du passeport d'Eden. L'affaire ne passerait pas l'Atlantique. « Et débarrasse-toi du flingue », dit-il avant de raccrocher, sans avoir manifesté le moindre étonnement. Il avait eu cependant du mal à orthographier le nom de famille d'Eden.

Une heure après, James jetait le Smith & Wesson dans le fleuve. Son cadeau d'adieu.

ARIZONA

1

Ah ! fit James en sortant de l'aéroport de Tucson. Il mit ses lunettes de soleil, respira un grand coup l'air chaud. « C'est cool », dit Eden en écartant les bras, comme si la foule l'attendait. « Putain, je kiffe voyager avec toi, James K. » C'était la première fois qu'Eden l'appelait comme ça. Gus les attendait sur le parking. Il avait pris le pick-up blanc où James aimait siroter des bières, allongé à l'arrière, parmi les outils, le Stetson sur le visage.

La route traversait des cactus de toutes les tailles. Eden, coincée entre Gus au volant, et James à sa droite, transpirait, malgré la minijupe et le t-shirt en coton.

— On arrive bientôt ? demanda-t-elle à Gus qui lorgnait de temps en temps sur sa poitrine.

— Une petite heure, grogna-t-il.

— Eh ben, c'est dans un bled paumé qu'on va.

James observait le sol pelé comme le dos d'une vieille bête. Le soleil montait dans le ciel acrylique. Tant qu'il n'y aurait aucun nuage, il n'y aurait aucune couleur. Le soir, c'était féerique. Le rose dominait. *When the mountains are pink, it's time to drink*, disaient les habitants du coin.

La lumière ramenait James à la vie. Il se débarrassait du gris humide qui l'avait rendu dépressif. Le vent chaud entrait dans l'habitacle. James ne cessait de ramener ses cheveux en arrière, les doigts écartés. Il revivait, oui. Et les jérémiades d'Eden le laissaient de marbre. Gus, un genre de menhir barbu en salopette, ne parlait pas non plus. Le désert impose le silence.

Les montagnes de Santa Catalina apparurent à l'horizon. Le pick-up s'élevait vers Oracle, le village de James et Gus. On allait perdre quelques degrés. La route était plus étroite, la double bande jaune interdisait de doubler. Le ranch se trouvait juste avant l'entrée du village, perdu au milieu de nulle part.

— Tu m'avais pas parlé d'un truc qui s'appelle Oro Valley ? s'écria Eden, qui avait une excellente mémoire.

— C'est exact, répondit James. Mais je suis au nord d'Oro Valley. On a dépassé la ville. Tu t'étais assoupie. J'habite Oracle. À Oro Valley, il n'y a que des vieux friqués. Ils viennent du nord du pays, ou de Miami, pendant notre saison froide, qui ne l'est pas vraiment, et repartent à Pâques. C'est le Neuilly de Tucson.

Après avoir longé les montagnes de Santa Catilina, Gus bifurqua vers l'est, toujours sur la route 77, en direction du ranch de James, Tanque Verde, le seul de la région avec une nappe phréatique.

L'entrée ne payait pas de mine. Une barrière blanche et, de l'autre côté, une demeure assez basse avec un large toit en forme d'accent circonflexe aplati, composé de panneaux photovoltaïques. Des chevaux trottaient dans l'enclos.

— Ils sont à toi ? demanda Eden.

— Oui.

— Je pourrai en monter un ?

— Le blanc. Il est sympa. Les autres ont un fichu caractère. Surtout la jument. Il ne faut pas l'approcher.

La pièce principale était immense, avec des poutres au plafond, un sol en tomettes, une vaste cheminée d'angle et plusieurs fauteuils en cuir. Mais le plus impressionnant, c'était la baie vitrée qui ouvrait sur des centaines de cactus plantés dans une mer de poussière avec, dans le lointain, une masse mauve figée.

La chambre se trouvait de l'autre côté, à l'ouest. Le soir, sur son lit recouvert d'une simple couverture, James rêvassait devant les couchers de soleil. Là aussi, une grande baie vitrée avec vue sur les hautes plaines. Le bureau de James était situé au bout d'un couloir, où le scénariste imaginait ses histoires. Personne n'était autorisé à entrer. Gus habitait une dépendance, près des écuries. Il vivait seul, sans même un chien. Un lynx avait bouffé le dernier en avril.

James changea de t-shirt. Il prit une bière dans le frigo. Eden préféra un Coca Light.

— Tout est immense, ici, dit-elle. Ton frigo, on dirait une chambre froide !

— C'est l'Amérique, répondit-il, avec un large sourire. Sortons.

L'ombre les protégeait d'un soleil agressif. La chaleur était devenue écrasante, mais ça ne semblait pas incommoder Eden. Le vent tiède contre son visage était une bénédiction. Elle soupira : « C'est bon, putain que c'est bon ! Je savais que la liberté avait une odeur. Je la sens à présent. » Ses seins pointaient sous son débardeur. James eut envie d'elle. Il la prit par la taille et l'entraîna dans sa chambre. Elle releva sa minijupe, écarta sa petite culotte, James lui fit l'amour comme si c'était la première fois, le chino sur les santiags.

Après avoir joui en elle, il se laissa tomber sur le lit. Eden resta contre le mur, le regard vague, les mains sur son sexe. La porte-fenêtre étant restée ouverte, Gus l'avait sûrement entendu crier. Mais elle s'en moquait. Elle se sentait bien. Pour rien au monde, elle n'aurait voulu être ailleurs.

James alluma une cigarette. Il souffla la fumée vers le plafond, et se dit que la peau d'Eden était une chose inespérée quand on avait franchi le cap des cinquante ans et qu'on buvait autant de bières.

2

La nuit était noire, pleine d'étoiles. Eden se tenait sur la véranda, attendant que James ait fini de parler à Gus. Il y avait des bruits dans le lointain qu'elle ne connaissait pas. Elle n'était pas angoissée, seulement un peu sur ses gardes. Elle avait connu tant de choses horribles en prison que même la plus mortelle des araignées ne l'aurait pas fait fuir. En entendant le cliquetis des clés de Gus, elle tressaillit cependant. Son bonheur était précaire, elle le savait.

James vint s'asseoir près d'elle avec deux bières.

— Tiens, dit-il en lui tendant une canette glacée.

— Non, merci, je finis mon pétard. C'est cool de pouvoir le cultiver toi-même.

James lui dit de tenir sa langue et de ne pas fumer en dehors du ranch. L'Arizona est un État ultra conservateur, même si les démocrates sont majoritaires à Tucson. Phoenix était une ville républicaine, tout comme Oracle, et son shérif était un sale type. Contrairement à la plupart des États américains, la sanction pénale pour possession d'une seule once de marijuana pouvait être passible d'une peine potentielle de dix-huit mois de prison et d'une amende de 150 000 dollars.

— Putain ! s'écria Eden. En effet, ça rigole pas chez toi. J'ai pas envie de retourner en taule pour si peu.

— Tu es blonde aux yeux bleus. Tu ne risques pas d'être arrêtée.

— Pourquoi t'es venu là ? demanda Eden, déjà dans les vapes.

— Pour le silence. Ici, je peux bosser tranquille. Je me sens libre également, comme quand je décide de tuer l'un de mes personnages, de le faire dormir dans un motel, de le faire découper en rondelles par un déjanté sanguinaire, alors qu'il aurait pu poursuivre sa route.

— On t'impose quand même pas mal de trucs dans tes scénarios, rétorqua Eden.

— Tu as raison, bébé. C'est pour ça que je ne travaille presque plus. Même si là, je dois reprendre du service avec Universal.

Elle aimait bien quand James l'appelait « bébé » et qu'il posait ses santiags sur la rambarde de la véranda. L'aigle blanc de ses Tony Lama brillait sous la lune. C'était rassurant d'avoir ce mec auprès de soi, avec un peu de barbe, des rides et un torse bombé comme un pare-chocs de Buick. C'était une race en voie d'extinction. Raison de plus pour veiller sur lui, pensa Eden, les paupières lourdes.

— Je veux être l'unique, dit-elle, la voix pâteuse. Du reste, tu m'appelleras toujours l'unique. Eden ton unique amour.

James grimaça. Quand elle redevenait romantique, elle devenait crispante. Les règles, c'est James qui les fixait.

— La fidélité est une connerie de religieux, balança-t-il.

— T'as pourtant la Bible dans ta chambre ! rétorqua Eden, mauvaise.

— Il y a la Bible dans toutes les chambres aux États-Unis, répliqua James. Et puis, si j'ai la Bible, c'est pour montrer qu'un livre peut changer la face du monde. J'ai appris mon métier grâce à la concision des *Chroniques*.

James se leva et, face au paysage tout noir, il se mit à déclamer : « Toute l'assemblée se prosterna, on chanta le cantique, et l'on sonna des trompettes, le tout jusqu'à ce que l'holocauste fût achevé. » Puis s'adressant à Eden : « Les scénaristes d'Hollywood n'ont rien inventé. Il faut de l'action, tu y ajoutes des dialogues dégraissés, tu oublies les descriptions à la Balzac, et tu deviens bankable. Tu finis alors dans le lit d'inconnues splendides, avec des buvards tamponnés d'acide, à boire des cuvées millésimées. Tous les soirs que le bon Dieu t'accorde ! »

Eden tira sur son pétard. Elle commençait à tourner de l'œil, mais pas assez. Elle entendait James qui continuait avec ces citations, et elle comprenait qu'il ne l'aimerait jamais. Elle aurait dû s'enfuir en hurlant dans la plaine, se moquant des scorpions, des serpents et autres bestioles hostiles. Elle aurait dû se pendre au premier cactus. Mais on n'avait jamais vu de pendu à un cactus. Et Eden préférait la voix de James au silence éternel du cimetière. Pour une fois, elle décida de ne pas pleurer.

— Tu m'as pas montré ton bureau, dit-elle pour changer de sujet.

— Mon bureau, c'est ici.

— Je parle de la pièce au fond du couloir qui est fermée à clé.

— Tu as donc essayé de l'ouvrir, rétorqua James, irrité.

Il tourna les talons et revint une minute plus tard, une canette à la main. Eden avait la tête vide. Elle se laissait porter par la marijuana. La véranda devint molle et légère, échappant à la pesanteur. Malgré la chaleur persistante de la nuit, il était peut-être temps pour Eden d'aller se coucher. Mais elle préféra rester comme ça, à flotter dans l'espace qui ressemblait au ventre chaud de la mère enceinte. Après avoir pressé la canette avec ses doigts, James la jeta dans la poubelle. Il se rassit et réfléchit à cette petite fille tuée lors du massacre de Tucson. Il n'arrivait pas à trancher : hasard ou pas. Si c'était le hasard, il était possible d'inventer une histoire terrible où la fatalité interviendrait. La tragédie serait facile à invoquer. Si le tueur avait délibérément tué cette petite née un 11 septembre, on mettait les pieds sur un terrain miné. La cible du forcené devenait l'administration américaine, et le contrôle permanent qu'elle exerçait sur les consciences. Ce qui déplaisait à James. Il ne voulait rien dénoncer. Il était individualiste et souhaitait par-dessus tout qu'on lui fiche la paix. Sa mère avait injustement souffert du maccarthysme. Il savait donc qu'on ne gagnait jamais contre le gouvernement, ses officines et ses agents les plus zélés. Dans le doute, il prit la décision de refuser le projet. Il téléphonerait à David Mc Coy pour le lui dire, mais dans quelques jours seulement. Il avait appris à ne jamais brusquer les choses. Il « faisait le Mao », c'est-à-dire qu'il faisait la planche, se laissant porter par les flots. Face à l'adversité, Mao Tsé-toung appliquait ce principe.

James se leva pour prendre une nouvelle bière. Il passa machinalement la main sur sa joue, il sentit la griffure faite par Vanessa. Puis il regarda Eden. Elle s'était endormie dans le fauteuil en osier.

3

Eden avait trouvé un mot de James disant qu'il allait à Tucson. Avant de partir, il lui avait préparé du café. Elle se gratta vigoureusement les cheveux. Elle ressemblait à un chat qui sortait d'un combat pas vraiment victorieux. Il faisait déjà chaud, le soleil brillait dans un ciel sans nuage. Elle portait un mini caleçon blanc et un débardeur orange. Elle décida de boire son café dehors. Les lattes de bois étaient brûlantes.

— Faut mettre des chaussures montantes ! hurla Gus. Sinon vous allez marcher sur un serpent. C'est pas la ville, ici ! C'est dernière station avant l'enfer.

— Venez prendre un café, répondit Eden.

Gus retira sa casquette avant d'entrer. Son visage était en sueur et les rides de son front pleines de poussière. Il semblait souffrir de sa hanche. « C'est sympa mademoiselle d'accueillir un vieil infirme comme moi », dit-il en prenant le bol fumant que lui tendait Eden. Puis il se mit contre le mur pour soulager sa colonne vertébrale.

— Je ne pensais pas que vous compreniez l'anglais si bien, ajouta Gus. Enfin mon anglais ébréché.

— J'ai travaillé à Londres, répondit Eden en tirant sur son débardeur, à Whitechapel. Dans un bar de nuit, à servir bière et cocktails. J'ai appris l'anglais très vite. Je me suis fait comprendre, surtout des petits cons qui voulaient me mettre la main au cul, ou des vieux vicelards qui pensaient que j'allais les soulager avant qu'ils rentrent chez eux retrouver leurs grosses. Y en a qu'un qui était cool, c'était un magistrat, un peu homo, autoritaire dans son job, et tout doux avec moi. Il aurait voulu que je sois sa fille. Plus exactement que je joue ce rôle. Il m'offrait des sucettes à la banane. J'adorais ça.

Puis elle changea brusquement de sujet. Elle demanda pourquoi James était à Tucson. Une lueur étrange passa dans le regard de Gus. Elle crut alors que James était allé voir une ex. Son estomac se vrilla. « Pour les affaires, mademoiselle », dit le vieux en grimaçant. Sa réponse ne la rassura pas. Elle insista pour savoir de quelles affaires il s'agissait. « James possède des amandiers, dit-il. Il est allé négocier la récolte de septembre. Il adore rivaliser avec les gros producteurs de Californie. Il affirme que ses amandes sont les meilleures du monde. Quel sacré baratineur ! Avec la terre caillouteuse qu'on a ! Il prétend qu'elles ont un parfum plus prononcé de vanille. Tu parles ! » Eden lui resservit un peu de café. Elle l'interrogea sur sa vie. Gus dit simplement qu'il était clochard quand James l'avait rencontré et que, sans lui, il serait mort.

— Il m'a sorti de la merde, fit Gus. Je ne bois plus d'alcool. J'ai un toit, je dors sans penser qu'un type va me buter pendant mon sommeil. Ah ! pouvoir dormir peinard.

— Moi, j'ai fait de la taule, dit Eden. La nuit, j'avais peur qu'on me fasse de sales trucs. J'ai tenu le coup parce que je savais que James m'attendait.

— C'est un fidèle, lâcha Gus. Il vous aime bien, vous savez.

— Bien est de trop, rétorqua Eden.

Comme Gus ne semblait pas pressé de partir, la jeune femme en profita pour le questionner sur le fameux bureau de James. Le vieux en salopette finit par s'asseoir en soupirant. Sa hanche le faisait souffrir. Il accepta un deuxième bol de café, et se laissa même tenter par un muffin aux myrtilles. Levé dès l'aube, il ne refusait pas une petite collation avant de repartir nettoyer le jardin. James, en effet, mettait un point d'honneur à ne manger que les légumes du ranch. Il voulait retrouver la nature, la sentir, la toucher, assister à ses transformations successives. Il disait souvent que l'erreur de l'homme avait été d'arracher, au propre comme au figuré, les racines qui le reliaient à la terre. La terre n'était que poussière et caillasses tout autour du ranch, mais James l'aimait. Il ne se lassait pas de regarder la plaine brûlée par le soleil. Pour rien au monde, il ne serait parti retrouver la verdure des pays où on gaspille la nourriture. Ici, la nature était à l'image de la beauté : exigeante. Ici, le corps de James tenait le coup malgré l'âpreté de la vie. Il acceptait de se plier au rythme des saisons.

— Vous avez bien fait d'attendre septembre pour venir, dit Gus, en utilisant le poignet de sa chemise pour s'essuyer les lèvres. Vous avez évité la saison de la mousson. C'est la plus pénible. On la nomme le second printemps. Nous avons en réalité cinq saisons : le printemps, l'été, la mousson, l'automne et enfin l'hiver, qui dure environ un mois. On a parfois de la neige sur les sommets de Santa Catilina.

— Et son bureau ? demanda Eden, qui se moquait de la nature, de la cinquième saison, et des manières un peu rustres du vieux.

— Ah ! ah ! vous voulez le voir, s'esclaffa-t-il, en montrant une dentition affreuse, jaunie par les ans. La porte est fermée à clé, je ne les ai pas. Désolé, miss.

— Mais pourquoi il ferme à clé ?

— Vous avez de sacrés beaux yeux bleus, miss. Surtout quand vous les faites tout ronds comme là. Il ne veut pas qu'on y aille seul.

— Y a quoi dedans ? Sa vieille machine à écrire ? Son ordinateur ? Des bouquins aux murs ? Un serpent dans un bocal de formol ? Il a peur qu'on touche à ses trucs, que les ondes positives se barrent quand on ouvre la porte ? C'est quoi le problème ?

— Il trouve ses idées sur la véranda, répondit Gus, la poitrine constellée de miettes de muffin. Il gamberge pendant des heures, calé dans son rocking-chair, regardant le ciel.

Il respire l'air chaud venu du Mexique. Tout ce qui vient de ce pays lui permet de tenir le coup. Ça le maintient en vie.

— Ce qui le maintient en vie, comme vous dites, c'est moi. Enfin ça devrait être moi. Je ne comprends pas pourquoi il refuse l'évidence. Bon, alors y a quoi dans ce putain de bureau fermé à clé ? Parce que, moi, les clés, depuis la prison, je peux plus les entendre. Et je vous crois pas quand vous dites que vous les avez pas. Vous mentez Gus, et c'est mal de mentir à la future femme de James K. !

Gus rit aux éclats, ce qui fit sursauter son ventre sous la salopette. Cette petite blonde ne manquait pas de tempérament, ce qui n'était pas pour lui déplaire. Elle ressemblait un peu à Vivian, sa femme, morte d'un cancer du sein. Il s'était retrouvé seul, complètement paumé, incapable de remplir le moindre papier administratif. Il avait alors laissé un message sur le portable de George, son fils, qui ne lui avait toujours pas répondu à ce jour.

Eden venait justement d'apercevoir un serpent derrière la baie vitrée. Elle se figea. Gus comprit. Il la rassura. En faisant un peu de bruit, le reptile dégagerait illico. Elle ne pouvait cependant plus détourner le regard de la baie. Son dos se couvrit de sueur, ses mains se mirent à trembler. Elle était tétanisée. Gus donna un coup de pied dans le tabouret qui, en tombant, fit fuir le serpent. « Qu'est-ce que je viens de vous dire, miss, grogna Gus. C'est des peureux. Faut pas leur marcher dessus, c'est tout. Non, les bestioles redoutables,

ce sont les veuves noires. Faut les écraser avec la semelle. »
Eden s'approcha lentement de la baie vitrée pour vérifier que le reptile avait déguerpi. C'est alors qu'elle vit un nuage gris sur le chemin conduisant au ranch. Elle crut tout d'abord au retour de James. Une fois la poussière retombée, elle lut sur la portière du 4x4, qui venait de stopper dans la cour, le mot « *sheriff* ».

4

Le shérif voulait connaître la nouvelle personne hébergée par James Katenberg. De taille moyenne, une moustache comme on n'en faisait plus depuis Tom Selleck, il portait des lunettes de soleil Persol, bien plus classes que son allure de plouc. Il frappa à la porte. Gus hésita à ouvrir. Malgré son étoile, il ne pouvait entrer sans l'accord du propriétaire. Mais pour éviter de froisser le caractère ombrageux du shérif, et malgré l'absence de James, Gus l'invita à prendre un café. « Merci, dit-il, en ôtant ses lunettes. Je souhaite me présenter à la jeune femme fraîchement arrivée. Fraîchement, je ne sais pas si c'est le bon terme », ajouta-t-il, sans sourire.

Eden détestait son regard et son humour à deux balles. Il resta à distance de la jeune femme, un peu gêné par la présence de Gus. Mâchant un chewing-gum, tout en fixant Eden, il dit qu'il s'appelait Jim Dukan. Coincé dans l'épaulette de sa chemise à manches courtes, son talkie-walkie crachait des paroles inaudibles. Il posa plusieurs questions à Eden qui fit mine de ne pas très bien comprendre l'anglais. Dukan s'adressa alors à Gus qui lui répondit d'attendre le retour de James. Le visage du shérif se renfrogna. Il détestait Katenberg. Il ne comprenait pas pourquoi ce scénariste célèbre s'était installé ici. Son univers, c'était Hollywood, les starlettes camées, les éphèbes bronzés en cabine et sous coke, les piscines remplies au champagne, bref, c'était la fréquentation de tous ces types trop absorbés par eux-mêmes. Pas Oracle et son désert. Au début, il avait cru que James était un chercheur de cuivre, métal recherché pour les composants électroniques. Il l'avait pisté, comme on piste une bête sauvage, poussant sa traque à la limite du harcèlement. Il n'avait rien trouvé de suspect. La colère l'avait envahi. James bénéficiait de protections qui calmaient les plus véhéments. Dukan s'était donc calmé, rongeant son frein. Et là, il flairait la fille susceptible de lui donner le motif de le mettre en prison.

— Votre nom, c'est quoi ? demanda-t-il en rangeant ses lunettes de soleil dans la poche de sa chemisette.

— Eden.

Dukan voulut connaître son nom de famille. Elle ne dit rien. Le face-à-face avait commencé. Eden ne supportait aucune autorité. Elle se tenait droite devant le shérif. Il lui montra sa poitrine où son étoile brillait. Pour Eden, c'était une cible à atteindre. « Mon père, lâcha-t-elle, les yeux pleins de haine, il a pas eu le temps de décliner son identité à ma mère. Il l'a mise en cloque, puis s'est tiré ». Le shérif sourit en bombant le torse. Il énervait la jeune femme, c'était le but. Gus sentit que la situation pouvait dégénérer. Bien que ne la connaissant pas, il devinait qu'Eden était capable de vite péter les plombs. Son regard trahissait une violence animale qu'il n'avait vue chez aucune autre femme. « Allez, shérif, dit le vieux d'une voix presque paternelle, ne donnez pas une vilaine image de l'Arizona. Eden est une petite adorable. Pas un Noir, fumeur de joints, que vous voudriez foutre à l'ombre. Laissez-lui le temps de s'installer. Vous savez bien qu'on travaille sans faire d'histoires. James est parti à Tucson vendre ses amandes. Voyez, on veut la paix, c'est tout. Et puis, je vous ai ouvert la porte, ne l'oubliez pas », conclut Gus, d'une voix plus autoritaire.

Dukan, droit sur ses guiboles arquées comme si son cheval l'attendait dehors, n'était pas convaincu, mais son talkie-walkie cracha une info qui l'obligeait à déguerpir. Une rixe venait d'éclater à la sortie d'Oracle. Des coups de feu avaient été tirés, blessant une passante. « OK, dit Dukan, j'arrive. » Il regarda Eden, et lui lança, mauvais : « Si j'étais vous, je ne resterais pas dans ce ranch. C'est un endroit maudit. La nappe phréatique sur laquelle il est construit dégage des ondes qui rendent ses habitants dingos. L'ancien propriétaire a fini fou, brûlant ses citronniers qui sentaient sacrément bons le soir. » La voix dans le talkie-walkie l'interrompit. « OK, OK, j'arrive », dit Dukan en appuyant sur le bouton. « Eden, ça ne s'invente pas, ricana-t-il. J'ai raison de ne pas croire au hasard. » Il remit ses lunettes de soleil, qui cachèrent son sale regard, et sortit en claquant la porte.

— Quel connard ! dit Eden. Il me ferait presque peur.

— C'est en effet un type bizarre, répondit Gus, pas mécontent qu'une fusillade l'ait fait déguerpir. Il est persuadé que James est une créature du diable qui va apporter le malheur sur sa ville. En plus, c'est un créationniste. Il s'était pourtant calmé depuis l'intervention de Bakker. Ici, on n'aime pas ceux qui bossent pour le gouvernement. On les craint. Je crois qu'il va lui falloir une piqûre de rappel.

— Ou une balle dans son crâne de raciste ! rétorqua Eden.

Elle se planta devant la baie vitrée pour s'assurer que le 4x4 avait bien quitté le ranch. La plaine tremblait sous le soleil. Elle repensa à la phrase du shérif, à propos du parfum des citronniers, le soir. Curieux qu'un type fruste comme lui ait eu une phrase si délicate, pensa-t-elle.

5

James arrivait et la vie changeait. C'était un peu naïf comme phrase, mais Eden considérait qu'elle reflétait ses sentiments, alors elle la répéta. Elle l'aimait, et quand on est amoureux, les mots les plus simples suffisent. James était de bonne humeur. Il avait vendu toutes ses amandes, sans casser les prix. Après avoir pris une douche, et bu une bière glacée, il prépara même le repas. Eden, chapeau de paille troué sur la tête, regardait les nuages dans le ciel. De la véranda, protégée du soleil par les stores électriques, elle respirait les parfums des poivrons verts du jardin, qui cuisaient dans l'huile d'olive, mélangés aux effluves d'ail et de romarin. Dehors, la chaleur faisait souffrir les hommes et le bétail rachitique.

Devant la grande poêle, James retournait les légumes avec une cuillère en bois. Il fit signe à Eden de rentrer. Il voulait lui parler, mais la pitance ne pouvait pas rester sans surveillance.

— Gus m'a dit que le shérif vous avait rendu visite.

— Quel type horrible ! s'exclama Eden.

— Ne te fais pas de bile, rétorqua James, le front en sueur devant la poêle.

— Il fout la trouille. Ce genre de type, ça cherche toujours la merde. En plus, avec sa putain d'étoile, tu dois t'en méfier.

Eden remonta la bretelle du débardeur qui avait glissé le long de son bras, découvrant un sein laiteux. « Pourquoi il t'en veut tant ? » demanda-t-elle. James lui expliqua que cette région était conservatrice et que les types de son espèce n'étaient pas appréciés. James incarnait la réussite facile, les mœurs dissolues d'Hollywood. On le croyait favorable aux démocrates, alors qu'il ne votait pas. Les origines mexicaines de sa mère achevaient le portrait à charge. C'était assez ridicule, sa carrière restait chaotique, et il n'avait jamais participé à une partouze, buvant seul, méthodiquement, et baisant à deux, conventionnellement, essayant de ne pas s'attacher à son partenaire. Il se plaisait à dire qu'à chaque fois qu'il avait fait l'amour avec une femme qu'il aimait, l'aventure avait tourné au drame et produit des secousses telluriques.

Le repas fut pris dans le salon. Eden apprécia les légumes, elle leur trouva du goût. Grâce au travail de Gus, à l'arrosage quotidien et à l'apport d'engrais naturel, le ranch possédait un beau jardin. À la dernière minute, James avait rajouté des œufs dans la grande poêle. « Des œufs de mes poules », s'était-il écrié en tendant à Eden un verre de vin californien.

Chacun vaqua à ses occupations ensuite. James rendit visite à ses chevaux, stetson vissé sur la tête ; Eden prit un bain, puis dormit. Le soir, ils se retrouvèrent sur la véranda et goûtèrent à la douceur de la nuit. Des milliers d'étoiles brillaient dans le ciel, quelques coyotes hurlaient dans la plaine. Eden voulut regarder la télévision, James l'en dissuada. Il ne fallait pas faire entrer la violence du monde dans cette bulle préservée que le ranch offrait. Dix otages américains venaient d'être décapités par un groupe terroriste. La vidéo du meurtre circulait sur internet, offrant une formidable publicité aux sanguinaires. On était revenu cinq cents ans en arrière. En apprenant cet acte barbare par la radio, sur la route de Tucson, James avait pensé aux conflits entre protestants et catholiques du temps de Shakespeare. On décapitait sous les applaudissements d'un public édenté, puis on exhibait les têtes au bout de piques, sur le pont de Londres. Le nom du dramaturge anglais ne lui était pas venu à l'esprit par hasard. Il considérait en effet que la construction de ses pièces était indépassable. Shakespeare aurait mis Hollywood à ses pieds.

Des grillons jouaient leur partition métallique, tandis que des nuages passaient devant la lune, attirant le regard de James. « Tiens, elle est dans son périgée », murmura-t-il. Eden le regarda, demanda des explications. « C'est le moment où la distance entre la Terre et la Lune est la plus courte, répondit-il. Si je voyais comme un gosse de dix ans, je t'indiquerais ses plus gros cratères. »

James s'éclipsa pour prendre dans le réfrigérateur un bol contenant des raisins qui macéraient dans de la grappa.

Il versa le mélange dans deux verres et revint avec. Eden avala les raisins et laissa l'alcool, qu'elle trouvait trop fort.

— C'est quoi ? demanda-t-elle.

— De la grappa. Ma mère terminait souvent son dîner par ça, dit James, le regard mélancolique.

Puis il se leva brusquement. Avec son talon biseauté, il écrasa une veuve noire. Eden poussa un cri. Elle n'avait pas eu le temps de voir l'araignée pourtant. Pour se remettre de cette émotion, elle but d'un trait le breuvage qui la fit grimacer. « Heureusement que tu es là, dit Eden, toute chamboulée, j'aurai pu marcher dessus. Je vais perdre l'habitude d'être pieds nus. » James resta muet. S'il avait écrasé l'araignée, c'était d'abord parce qu'elle tuait le mâle après l'accouplement...

Ce n'est pas ce soir-là qu'Eden demanda à James de lui montrer son bureau. Elle attendit une semaine, où il ne se passa rien. Le ciel était bleu, la chaleur intense, la poussière partout.

Et puis, après un repas composé de légumes et de fruits, accompagné d'une bouteille de vin californien, James s'était enfermé dans la pièce mystérieuse. Pour y parvenir, il fallait emprunter un étroit couloir aux murs nus. Eden digérait sous la véranda, dans un fauteuil en rotin. Le ciel était congestionné à l'horizon, pareil au visage d'un apoplectique. Ses jambes ne trouvaient pas le repos. Elle commençait à bouillir. Peut-être sous l'effet du vin trop fort en alcool. Elle se souvint alors de son séjour en prison. Lorsque la porte se refermait, surtout les premiers jours, elle voulait sortir, c'était un élan irrépressible. Une fois, elle avait tambouriné à la porte en fer, faisant rougir jusqu'au sang ses mains transformées en poings vengeurs. Lydia, une codétenue, l'avait alors ceinturée et ramenée de force sur son matelas. Elle avait des bras aussi épais que ceux d'un homme, et une odeur aigre se dégageait de ses aisselles. Eden, impuissante, avait hurlé comme une damnée. Là, elle était libre de se lever et de pousser la porte du bureau. C'est ce qu'elle fit.

La pièce était plongée dans la pénombre. Eden avança à tâtons, puis s'adossa au mur, laissant la pupille de ses yeux se dilater. Il y avait un bureau sur lequel on apercevait un large écran d'ordinateur entouré de livres et de dossiers épais. Les murs semblaient recouverts de chaux. Un tapis protégeait le sol, sûrement le navajo signalé par Gus, quand il avait décrit la pièce interdite. Elle remarqua au bout de la frange un rai de lumière, très fin, signalant une autre pièce sous le bureau. Elle ne bougeait pas, attendant encore pour que ses yeux se familiarisent avec l'espace. Comme l'Indien au milieu du désert sans lune, pensa-t-elle. Elle n'était pas rassurée. Son instinct lui disait de sortir, et sa curiosité l'incitait à poursuivre. Elle longea le mur blanc en tendant les bras. Ses mains tâtonnaient la paroi grumeleuse. Un clou, ou quelque chose de pointu, lui griffa la peau. Elle grimaça. Elle se rapprocha de la source de lumière, découvrant qu'il s'agissait d'une trappe qu'on levait avec une ficelle. C'est alors qu'elle sentit contre sa cheville une sensation de froid qui la fit reculer. Son cœur se mit à battre fort sous sa poitrine. Elle respira un grand coup, puis elle essaya de voir ce qui l'avait frôlée. Un long tube mou se déployait sur le tapis navajo. Eden comprit qu'il s'agissait d'un serpent. Elle poussa un cri strident, incontrôlable. Le reptile était énorme, comme ces ballons en forme de saucisses multicolores que son père lui achetait à la fête foraine. La trappe se souleva brusquement, faisant reculer le serpent. Eden reconnut la tête de James. Son regard était noir, comme la langue d'un pestiféré. « Qu'est-ce que tu fous ici ? » hurla-t-il. Eden était collé au mur, incapable de bouger. Les mots ne sortaient pas de sa bouche. Elle regardait le serpent, puis le visage de James, déformé par la colère. Jamais elle ne l'avait vu ainsi. Peut-être le reptile était-il moins dangereux que son compagnon. « Ce n'est pas un serpent à sonnette, tu n'as rien à craindre, maugréa-t-il, tout en tapant du pied sur le tapis pour faire fuir l'animal. C'est un *gopher*, totalement inoffensif. Approche. » Eden quitta le mur, pas vraiment rassurée, les jambes flageolantes. « Les dessins du serpent à sonnette sont en zigzag, reprit James. Ceux-là sont horizontaux. Tu dois apprendre à te contrôler, à ne pas m'espionner surtout. Va te coucher », ajouta-t-il sur un ton qui ne souffrait aucune remarque. Le *gopher* se sauva dans le mur, trouvant un passage inespéré. Eden, en revanche, ne bougeait pas. Elle voulait savoir ce que cachait la pièce au sous-sol. « Écoute, lui dit

James, je n'ai pas envie de te parler davantage. Barre-toi. » Eden sentit que les larmes allaient couler sur ses joues en feu. Elle ne supportait pas que James lui parle de cette façon. Ça lui rappelait de vilains souvenirs. Il sourit en voyant son regard mouillé. « T'es chiant, James, je t'aime, tu dois tout me montrer, tout me dire. C'est quoi cette musique que j'entends ? » De la musique en effet montait du sol, violons et trompettes, ample, pour soutenir une action violente. Le visage de James se contracta. Il serra les poings, se tapant la poitrine. « On dirait Tarzan », ria Eden. « Pauvre conne ! » hurla James. Eden passa du rire aux larmes. Cette fois, elle pleurait pour de bon, ne pouvant maîtriser les spasmes qui dilataient sa poitrine. Eden sortit de la maison pour respirer l'air pur. La nuit était noire, piquetée de milliers d'étoiles. Le vent venait des collines, tiède malgré l'heure tardive. Eden entendait dans sa tête les mots de James, coupants comme la lame du rasoir qu'il laissait le matin sur le rebord de l'émail.

Si elle avait été moins lâche, elle se serait coupé les veines avec.

6

James était assis dans un fauteuil rouge. Sur l'écran mural, des images en noir et blanc, dans la pièce plongée dans la pénombre. Un son puissant, de bonne qualité, avec plusieurs enceintes latérales. La fraîcheur du climatiseur. C'était un film ancien, datant des années cinquante. Les acteurs parlaient en anglais avec une voix manquant de naturel, venant du fond de la gorge, roulant les *r* pour les hommes, haut perchée pour les femmes. Une jeune actrice crevait l'écran, virevoltant entre ses partenaires, la taille fine, les seins fermes. Ses grands yeux regardaient la caméra avec un naturel déconcertant. En elle, il n'y avait que grâce et volupté. Sa silhouette était fragile comme une coupe de champagne. On comprenait, en ne la quittant pas du regard, que des orages dévastaient son cerveau. Mais elle était plus solide que la digue de Venice Beach. Sa longue chevelure noire, légèrement bouclée malgré le brushing, était à l'image de son caractère : indomptable.

James se servit un bourbon. Pas de bière glacée quand il regardait un film d'Eva Lopès, sa mère. Il avait besoin d'un breuvage fort. Il prit le verre, le but cul sec, juste avant la scène qu'il préférait. Eva, en robe claire, moulante à faire damner le pasteur d'Oracle, un dur au mal pourtant, sa petite poitrine mise en valeur, ses épaules nues, lignes pures, ses bras fins et musclés, et puis cette taille prise dans le tissu soyeux, contractant les fesses pour être irrésistible, Eva descend l'escalier d'un palais en ruine, le regard perdu, remontant légèrement sa robe pour éviter la chute, puis s'arrête sur la dernière marche, contemple le décor victime du temps, regard douloureux dans un visage blanc, immobile.

Elle marche au milieu de la salle jonchée de gravats. Les colonnes de marbre sont lézardées, le plafond effrité, le papier peint s'est décollé, il pend tristement. La poussière grise, répandue sur le sol, ressemble à de la poudre de maquillage pour aristocrates sans le sou. Eva marche la tête haute, silhouette droite, vers celui qu'elle quitte pour toujours, le comte Santo Mollo. Elle le lui dit. Sa voix résonne dans l'espace vide. « *I'm leaving you.* » Santo reste impavide. Sa fine moustache ne tremble pas. Elle ajoute : « *One has to know when it's time to run away.* » Elle n'a jamais été aussi belle. James se le répète, les poils des avant-bras dressés. La musique est en trop. La caméra s'attarde sur ses yeux noirs. Elle semble avoir vu un cheval se briser la jambe, tant elle est bouleversée. À cet instant, Eva n'est pas une comédienne. C'est une femme qui quitte réellement son amant. Elle ne joue pas. La fiction est la réalité.

James détestait cet acteur, dont il ne citait jamais le nom. Il avait broyé le cœur de sa mère. Après leur rupture, elle ne fut plus jamais la même. Elle se perdit dans des conquêtes suicidaires avec des amants manipulateurs. Jusqu'au jour où elle trouva refuge dans les bras de son père, un brave type solide, amoureux fou, mais complètement dépassé par les névroses d'une femme dévastée par les addictions. Un père, Peter, ancien champion olympique de natation, apprécié pour sa musculature et sa grosse tête de Boche qui avait fui le nazisme, embauché dans toutes les superproductions hollywoodiennes, à commencer par celles de Cecil B. DeMille, le maître. Peter Katenberg, surnommé « Pet Kat » sur les plateaux de cinéma, alors qu'il ressemblait à un gorille.

Eva ne bouge pas. Son mètre cinquante-deux fait face à l'imposant Santo Mollo. Il finit par sortir un flingue de sa poche, il tire sur Eva qui s'effondre comme une marionnette sans fils. Un morceau de stuc tombe du plafond. On ne saura jamais si ce détail était dans le scénario.

James ne regardait plus le film. Plus exactement, après cette scène, il le regardait sans le voir. C'était fini. Eva était morte par manque d'amour, ou par excès d'amour, ce qui revenait au même. Elle était morte dignement. Ce qui, dans la réalité, ne fut pas le cas de sa mère. Enfin il ne savait pas. Il s'énerva contre lui-même. Il n'avait pas le droit de la juger. Que s'était-il passé exactement le 24 décembre 1962, au soir ? Il savait juste qu'on l'avait retrouvée morte dans sa propriété de Beverly Hills, et qu'on avait sauvé in extremis le bébé qu'elle portait dans son ventre.

James arrêta le film. La fin était mauvaise, ça tournait au mélo sirupeux. Le DVD sortit du lecteur. Il le rangea dans la pochette portant le titre *Un crime d'amour*, long métrage certes médiocre, mais premier grand rôle d'Eva Lopès, la bombe latino, révélation de l'année 1952, future rivale de Marilyn Monroe. Le monde du cinéma raffole de ces duels arrangés pour faire monter les enchères, vendre du papier et doper les entrées. Elles finiraient par se retrouver face à face dix ans plus tard, le 19 mai 1962, au Madison Square Garden, lors de la soirée d'anniversaire du président John Fitzgerald Kennedy. Mémorable fête sous alcool et drogues, électrisée par la présence de Marilyn dans sa robe à 12 000 dollars : vingt couches de soie et plusieurs milliers de pierres du Rhin scintillantes, cousues par dix-huit ouvrières sept jours durant. Marilyn but de nombreuses coupes de Dom Pérignon avant de chanter pour JFK, « The Prez » comme elle l'appelait. Eva Lopès était au premier rang, cheveux noirs en chignon et robe de soie bleu ciel. Marilyn monta sur scène sous un tonnerre d'applaudissement. La star était ivre et shootée, mais rayonnante et nue sous sa robe dont les coutures commençaient à lâcher tant son cul magnifique était à l'étroit. Tout en caressant le micro et en frôlant ses seins, elle susurra son torride *Happy birthday* à son amant de président sous le charme, mais embarrassé tout de même que cette déclaration se fasse devant quinze mille personnes et quarante millions de téléspectateurs. Cinq jours plus tard, il fallut annoncer à la fragile Marilyn que l'aventure était terminée. « The Prez » sauvait sa carrière et condamnait la blonde la plus célèbre du monde à une mort certaine.

Un photographe avait pris Marilyn et Eva en train de parler dans un salon du Madison. James avait récupéré l'original, qu'il avait fait encadrer et poser au mur de son home cinéma. Marilyn sourit mais les yeux sont cernés. Son brushing a figé sa chevelure blonde. Ses seins sont deux obus sous sa robe de légende, ils n'attendent que les mains de l'homme le plus puissant de la planète. Petit détail : elle a du ventre. Les antidépresseurs et l'alcool ont commencé leur sale besogne. Eva est en robe bleu. Elle semble douce, presque sage. Ses larges yeux sombres regardent la star hollywoodienne sans toutefois l'envier. Elle sait qu'elle joue mieux qu'elle ; elle sait que la Fox va lui renouveler son contrat ; elle sait surtout que, malgré la finesse de sa taille, elle est enceinte. Ça vaut tous les Oscars. Et Pet Kat n'est peut-être pas président, mais lui, il la protège. Ce qu'elle ne sait pas, c'est que Marilyn va succomber à une overdose deux mois et demi plus tard. Ce qu'elle ne sait pas non plus, c'est qu'elle va se suicider le 24 décembre de la même année, alors enceinte de presque neuf mois.

« Quelle terrible photo, quand on y pense », dit James, planté devant le mur en béton où elle était accrochée.

« Putain, qu'est-ce qui s'est passé dans ta tête pour faire ça, ma petite Eva adorée ? » James parlait à voix haute pour éviter de suffoquer de chagrin. Jamais Pet Kat, son père, n'avait pu lui donner la raison de son acte. Peut-être connaissait-il la vérité. Peut-être pas. Un jour, il retrouverait le troisième cahier de sa mère. Il en était persuadé. Elle avait tenu un journal intime pour occuper ses nuits entre deux tournages. Ou en attendant de trouver un amant, ou un réalisateur, qui pouvait être la même personne, Eva ne s'interdisant rien. Pet Kat avait assuré à James qu'il y avait trois cahiers : un bleu, un rouge, un noir. Eva les rangeait dans le tiroir de sa commode offerte par son seul vrai ami dans le cinéma, Marlon Brando, et sur laquelle était posée une machine à vapeur, un cadeau de Buster Keaton, fasciné par les trains au point de vivre dans un wagon voyageur, parmi ses bouteilles d'alcool. James possédait les cahiers bleu et rouge. Où était passé le noir ? James l'avait cherché. Il continuait de le faire. Il avait payé un détective privé. En vain. Il avait même rencontré son agent, Minna Willis, disparu en 1986. Elle n'était au courant de rien. La seule piste sérieuse restait celle que lui avait soufflée Marlon Brando, quand il était allé lui rendre visite peu de temps avant sa mort, au 12 900 Mulholland Drive, dans la villa Frangipani. Mais il n'avait jamais trouvé le temps de l'explorer totalement. Ou alors il avait eu trop peur de ce qu'il découvrirait.

On frappa au-dessus de sa tête. C'était Gus. Avec sa jambe valide, il tapait contre la trappe en bois. C'était sa façon à lui de dire qu'il était temps de refaire surface.

7

Gus avait fait du café noir. Il était debout, se tenant au rebord de la table de la cuisine. James se frotta les yeux. Il avait passé toute la nuit dans son home cinéma. La lumière du matin était agressive. « Il va y avoir de l'orage, ce soir, dit Gus, en se raclant la gorge. Ma patte folle me démange ». James but une gorgée de café. Il était excellent. Fort sans être trop amer. « Jamais, tu rates ton café, sourit James. Faut que tu tiennes plus longtemps que moi. » Gus fronça les sourcils. Il désigna de son doigt déformé par l'arthrose la chambre où dormait Eden. « C'est elle qui fera ton café, répondit Gus. Moi, je suis bon pour la casse. Je vais retrouver tous mes potes calanchés, et surtout ma petite Vivian. Ah, putain, elle me manque, tu sais. C'était une sacrée battante. Elle me foutait un pied au cul ; elle avait raison. Tu devrais aller voir Eden. Elle allait très mal hier soir. Je l'ai vue sur la véranda. J'ai cru qu'elle allait faire une connerie, alors j'ai attendu qu'elle se pieute. Elle a avalé des Smarties ! » Et Gus rit aux éclats. Avec lui, jamais le coup de cafard ne durait plus de vingt secondes.

James demanda si elle avait pris beaucoup de somnifères. Gus haussa les épaules. « Comment veux-tu que je sache, fils ? Je couche pas avec ! »

James reprit du café, se fit griller une tranche de pain, puis cuire deux œufs sur le plat. « Tu sais, Gus, dit-il d'une voix qui manquait de sommeil, les morts, on ne les retrouve pas. En réalité, ils sont là, à côté de nous, tous. Enfin ceux qu'on a aimés et qui nous ont aimés. Mon père, il est là, je le sens. Il est toujours aussi large et imposant. Dans son cercueil, il était tout ratatiné. Il ne pesait plus que 20 kilos, 30 à tout casser. Le corps, c'est soixante-dix pour cent d'eau. Ça s'évapore. Mais quand je le sens, je sais qu'il est tel que je l'ai toujours connu. Sa masse déplace de l'air, c'est impressionnant. Et puis il a sa tête. Il a gardé sa tête. Ses connards d'illégaux qui l'ont buté pour lui voler sa réserve d'eau, dans le désert, l'eau, c'est plus important que l'or, ces fils de pute lui ont coupé la tête à la hache, parce qu'ils avaient peur de son regard. Eh bien, tu vois, Gus, il a sa tête énorme, avec son front large et sa nuque de Teuton. Tout redevient comme avant, comme on les a connus, et aimés. Ils ne partent vraiment qu'avec nous. Je lui parle à mon père. Je lui dis qu'il a caché des trucs sur ma mère, j'en suis sûr. Et il continue de se défiler. Il a gagné. C'est figé comme il le souhaitait. On se parle, on se frôle les mains, on s'aime. Mais les choses sont immuables. Tu piges ça, Gus ? »

James prit ses œufs, son pain et s'assit en bout de table. Il trempa la mie dans le jaune qui éclata. Il mangea les deux coudes sur le bois poli. Le portable sonna. Il ne répondit pas. Après avoir fini le pain et les œufs, il se resservit du café. Gus était debout. S'il s'asseyait, il n'était pas certain de pouvoir se relever. Alors il préférait encaisser la douleur debout. « Tu sais, Gus, dit encore James, ma mère, elle est vivante. C'est la plus vivante de tous ceux que j'ai perdus. C'est le miracle du cinéma. Elle est belle, elle chante, parle, se met en colère, embrasse, joue toutes les émotions, elle rit, pleure, mais elle ne le fait pas pour moi. Elle ne l'a jamais fait pour moi. C'est les souvenirs qui font qu'un mort est vivant. La vie est monstrueuse. Mais avec moi, elle s'est surpassée. Passe-moi mon portable. »

Gus claudiqua jusqu'au téléphone. James alluma une cigarette. Il constata que David Mc Coy l'avait appelé sans laisser de message. C'était sûrement pour connaître sa décision à propos de la tuerie de Tucson. Gus sortit pour nourrir les chevaux, tandis que James s'installa sur la véranda. Le soleil était déjà haut dans le ciel. Des *Joshua trees*, arbustes tordus comme les arthritiques, attendaient de griller. C'était un temps à provoquer des angoisses. La chaleur était inquiétante, annonciatrice de drames. Même le vent était chaud, terriblement sec, provoquant une contraction à l'abdomen. Un jour, la terre redeviendrait comme ça, partout, sans les hommes, réduits en cendres par leurs pulsions de mort. Le silence était déchirant, ajoutant une sensation postapocalyptique. James alluma son ordinateur portable et tira une Sierra Nevada de la glacière.

L'écran d'ordinateur affichait de nombreux fichiers. Que de projets avortés, soupira James. Des chapitres inaboutis, des scénarios en suspens, des ébauches de personnages, rien de vraiment percutant, pas l'idée géniale, pas d'idées du tout. James était cramé. La vie l'avait bouffé. Car la vie avait été monstrueuse avec lui. Elle l'avait fait sortir du chemin. Ce n'était pas la fin, c'était pire, c'était l'errance. Ça avait merdé. Pourquoi ? Il ne le savait pas. Même en s'allongeant dix ans sur le divan d'un psy, il n'obtiendrait pas de réponse. Et puis à quoi bon découvrir les raisons obscures de ce qui est advenu ? Bien sûr, il y avait eu son divorce. Frances, son unique épouse, était partie. La grande et fière Frances, belle comme l'aurore. Tous s'accordaient à dire qu'on subissait son charme et qu'on ne l'oubliait pas. Blonde, cheveux longs, une taille de rêve, un regard troublant, vert comme les eaux de l'Hudson. Elle était la fille d'un avocat new-yorkais. Elle pensait vite et ne se laissait jamais distraire par le côté dépressif de son mari. Journaliste politique, souvent invitée à la télévision, elle aimait dominer. Elle avait rencontré James lors d'un cocktail en Californie, alors qu'elle couvrait un événement politique dont tout le monde se moquait. James était séduisant, et semblait plus solide qu'une diligence de la Wells Fargo. Il avait aimé sa classe discrète et son absence de préciosité. Ils avaient rapidement trouvé le chemin d'une chambre climatisée. Elle s'était déshabillée la première. Ils avaient fait l'amour très vite. Plus tard, Frances lui apprendrait à agir plus lentement et plus longuement.

Un divorce, ce n'était guère original de nos jours. Le motif de la rupture l'était davantage.

C'était une chaude journée d'été, se souvenait James, en sirotant sa bière, une plage tranquille de Pacific Palisades, sous le regard imposant des hautes falaises de granit. Il entendait, comme s'il y était, le bruit sourd des vagues glissant sur le sable blanc. L'air était poisseux, chargé d'écume. Frances surveillait Jane pendant que son mari sortait le barbecue du petit cabanon. Il allait faire griller le poisson pêché le matin. Frances regardait les rouleaux crêtés de blanc. « Ne t'éloigne pas du bord », criait-elle, dans son maillot blanc, l'eau jusqu'aux genoux. Elle nageait avec élégance, souplement, se laissant secouer par les flots, sans résister, elle agitait les jambes, allongeait ses bras fins et repartait dans le creux de la vague. C'était le paradis, on pouvait le dire, sans exagération. James préparait le poisson, le feu prenait, attisé par le vent d'ouest. Il réhydratait sa peau rougie par le soleil qui déclinait au-dessus de l'océan mauve. Frances avait les épaules zébrées de sel. Des gouttes d'eau coulaient sur son ventre cuivré. James, quant à lui, avait le corps musclé. À l'époque, Il faisait du sport et ne buvait pas. C'était une belle journée, oui. Frances a d'abord crié le nom de leur fille, puis elle a hurlé « Jane, Jane, Jane ! », trois fois, de plus en plus fort. Alors James a compris qu'un drame venait de se produire. Il a couru et plongé dans les rouleaux en longeant le rivage vers le sud. Il a nagé jusqu'à l'épuisement. De temps à autre, il croyait apercevoir quelque chose à la surface de l'eau. Il reprit espoir quand il aperçut un point sombre. C'était une planche. Frances courait sur la plage, continuant de hurler le nom de leur fille. Son corps était désarticulé par la peur, ses cheveux blonds emmêlés par le vent. James a bu la tasse, une vague monstrueuse l'a frappé à la nuque, il a perdu connaissance, mais il ne s'est pas noyé. L'océan lui a fait ce cadeau empoisonné de le laisser en vie. Détruit mais vivant. En revanche, on n'a jamais retrouvé le corps de Jane. Elle avait à peine dix ans. Il paraît qu'à cet âge-là, un enfant a saisi l'essentiel de l'existence. Jane était très brillante. Elle s'était vue mourir. James en était persuadé.

Leur couple, après une telle épreuve, était mort. Pas besoin d'en faire un mauvais roman. Frances ne s'est jamais remariée, elle a écrit des poèmes fort jolis, assez elliptiques, et sans pathos. Elle les envoyait à James qui les lisait, la gorge serrée. Il aimait tout particulièrement *Lullaby*. Ça racontait les premières années de Jane, ses leçons de piano, ses courses dans la châtaigneraie, son rire à la sortie de l'école, ses boucles de cheveux blonds dans le soleil. Son sourire.

James aurait pu se tirer une balle dans la tête. Il avait regardé son passé, l'avait exploré, égoïstement. Il avait cherché du côté de sa mère, comme on cherche un refuge pour échapper à l'orage. Il s'était heurté à un mythe et à ses secrets.

Il avait tenté d'oublier Jane, sa tombe bouillonnante entre sable et ciel. Il avait alors quitté Los Angeles pour s'installer à Palm Springs. Ça n'avait rien changé. Il avait simplement déplacé sa tête en vrac.

Sand and skies avait écrit Frances. Peut-être pour insister sur notre petitesse dérisoire face à l'infini.

Pour marquer le pluriel quand on se retrouve seul.

James reposa sa bière vide. Il réprima un rot, en ouvrit une autre. Sur l'écran de l'ordinateur, il lut une de ses nombreuses phrases à caser dans un improbable scénario : « Rien ne me retient sur terre et pourtant j'ai peur de mourir. » Quand il était comme ça, vide et atone, il repensait au ressac qui l'avait entraîné vers le fond, alors qu'il tentait de sauver Jane, à toute l'énergie dont il avait fait preuve pour se sortir du piège, il se disait qu'il y avait laissé toutes ses forces, qu'elles ne s'étaient jamais régénérées, que son moteur avait brûlé et qu'il n'était plus qu'un vieux con voûté, au visage ridé par la tristesse.

James sentit le parfum d'Eden mélangé à la transpiration de la nuit. Il eut soudain envie d'elle. Une petite culotte blanche cachait à peine son sexe. Ses cheveux blonds étaient en désordre. Elle était sous médocs, mais pas totalement stone. Alors qu'elle s'apprêtait à ouvrir la bouche pour l'insulter, Eden vit James se lever promptement. Elle recula, mais il réussit à la plaquer contre la vitre de la véranda. Sa joue écrasée contre la surface chaude, elle sentit le sexe de James la pénétrer sans ménagement. Les muscles de son dos se tendirent, elle éructa une injure et finit par se laisser faire quand le plaisir la submergea. James s'agrippa aux fesses d'Eden qui gémissait de plus en plus fort. Des gouttes de sueur coulaient sur ses reins. Sa tête allait exploser, la chaleur était accablante, la climatisation devait être au minimum et la surface vitrée affolait le mercure du thermomètre. James poussa un râle. Puis il se laissa tomber dans le fauteuil en osier, le souffle court, tout transpirant. Eden s'accroupit et l'embrassa à pleine bouche. « Et dire que je voulais te quitter, mon homme à moi », roucoula-t-elle. James ne dit rien. Mais il savait que faire l'amour lui avait parfois permis d'échapper à des règlements de compte homériques.

Au moment de jouir, il avait vu le visage de sa mère, un visage d'ange malicieux. Avec toujours ses larges yeux noirs surpris d'être là, sur terre.

8

La conversation avec David Mc Coy avait été constructive. Il avait immédiatement validé le refus de James de travailler sur la tuerie de Tucson. « Écoute, j'ai un autre projet, avait dit Mc Coy. Encore meilleur, en fait. Je vais coproduire un feuilleton qui se nomme *Crossing Lines.* Des Français, des Allemands, des Italiens vont mettre de la thune. Mais tu connais les Européens. Ils font des trucs bavards. Ils ne savent pas qu'une ligne, c'est tant de dollars. Or il faut sortir le moins de dollars possible. Il faut donc faire court, efficace et surtout innovant. Tu parles anglais, français et allemand. Tu connais les ficelles de la rapidité. Tu es l'homme de la situation. » James avait rétorqué qu'il ne pouvait plus retourner en Europe. « Mais tu restes dans ton ranch au milieu de nulle part ! s'était écrié Mc Coy. Tu viendras juste me voir pour que je te présente à mon nouveau boss, c'est tout. Tu respireras la poussière de Los Angeles, tes yeux te piqueront à cause de la pollution, tu te perdras sur les autoroutes de la ville, tu suffoqueras sous le brouillard, et tu repartiras. Tu en dis quoi ? » James en avait soupé de tout ça. Il avait allumé une cigarette, était sorti dans la chaleur du crépuscule, et il avait refusé. « T'es malade, ou quoi ! avait rugi Mc Coy. T'as intérêt à pas me laisser tomber sur ce coup, t'a intérêt à suivre, sinon c'est le retour en Europe avec les pinces aux poignets ! Putain, il serait temps que t'arrêtes tes caprices de star des années post-Reagan ! Et puis, laisse-moi te dire, à Hollywood, après cinquante balais, t'es considéré comme un vieillard ! Oui, un vieillard ! Alors saisis la chance que je t'offre. Et reprends un agent pour gérer ta carrière ! »

James n'avait jamais entendu Mc Coy aussi en rogne. L'idée lui avait traversé l'esprit de raccrocher. Il s'était vengé sur un scorpion qu'il avait aplati. En fait, l'histoire tenait la route. Universal Pictures avait raison de mettre de l'argent en visant une future diffusion aux États-Unis. Ça plairait au public puisqu'il y avait un ex-flic new-yorkais dans l'affaire. Un criminel international lui avait tiré sur la main alors qu'il tentait de sauver un enfant. Incapable de tenir une arme, accro à la morphine, l'ex-officier allait vivre ensuite dans une caravane et ramassait des ordures dans un parc d'attractions aux Pays-Bas. Ça aurait pu être James. Un autre flic dirigeant une unité de délits spéciaux de la Cour internationale de justice à La Haye, qui enquêtait sur les homicides aux quatre coins du monde, décidait de le recruter. L'unité pouvait compter sur un membre influent de la cour pénale internationale interprété par Donald Sutherland. Ce dernier élément avait convaincu James de participer au scénario, davantage que la colère de Mc Coy. L'acteur, en effet, symbolisait l'élégance et la discrétion. Une sorte de griffe de fabrication à l'ancienne. Et James y était sensible. Il en avait assez des stars qui s'exprimaient sur tous les sujets. Rares étaient ceux qui s'engageaient pour de nobles causes et les défendaient avec pertinence. Lorsque Marlon Brando avait protégé les droits civiques des Amérindiens, il avait suscité son admiration, bien plus que pour son rôle dans *Le Dernier Tango à Paris*. James avait été estomaqué quand le même Brando avait refusé son second Oscar pour l'interprétation de Don Corleone dans *Le Parrain*, de Francis Ford Coppola. Il avait cédé sa place à une Indienne, Littlefeather, qui avait prononcé un discours de dénonciation du traitement réservé aux Indiens dans les films, à la télévision et dans les réserves. Brando s'était ruiné pour les défendre, et il n'était retourné sur les plateaux de cinéma que pour leur payer des avocats.

Sans être comparable à Brando, James sentait que Donald Sutherland était un type bien. Il irait donc signer son contrat à Los Angeles.

*

La nuit était tombée d'un coup, laissant les coyotes dans leur solitude affamée. James sirotait un bourbon sur la véranda et écoutait Dean Martin, son crooner préféré, ex-amant de sa mère, présenté par Frank Sinatra *himself* lors d'un cocktail. Dean était mort un 25 décembre; elle, le 24. Les artistes n'apprécient pas les fêtes de fin d'année. Son timbre de bronze renforçait le silence du désert. Dean interprétait *For The Good Times*. Un bonheur triste qui oblitère le temps, soupira James.

Eden apparut dans une petite robe blanche. Elle s'était lavé les cheveux et sentait bon. Elle dit: « Je t'aime. » Pour toute réponse, il l'attrapa par la taille. Il l'obligea à s'asseoir sur ses genoux, ce qu'elle fit sans résistance. Il l'embrassa dans son cou encore mouillé. Elle voulut savoir ce que cachait la pièce en sous-sol. Elle avait de la suite dans les idées. James regarda ses yeux bleus, ils étaient lumineux. On aurait pu s'y perdre si l'on aimait les naufrages à deux. Il repensa soudain à cette fille qu'il avait lâchement abandonnée au bord d'une piscine toute fumante, dans la nuit californienne. Sans ce départ précipité, il aurait été capable de l'épouser. On ne se perd pas que sur les autoroutes de Los Angeles. Elle était menue, plate comme une limande, mais elle possédait un regard qui vous faisait croire que vous étiez le Che pourchassé dans les montagnes de Bolivie. James avait vingt ans, et déjà une petite voix lui disait de se méfier de l'amour, que c'était un truc de romancier en mal d'inspiration. Il avait fui dans sa Plymouth blanche, le coude à la portière, la chemise collée au cuir du siège, avec les grillons qui ne perdaient pas une miette de cette débandade. Le coude hors de la voiture faisait un peu cliché, mais c'était la réalité. Il ne fallait pas avoir peur de la réalité. Il avait appris ça très vite, et il avait appliqué cette règle à la plupart de ses scénarios. Ça avait plutôt pas mal marché, surtout au début. L'autoradio était branché sur une radio locale qui passait *For The Good Times.*

James se leva et conduisit Eden dans son bureau. Il n'y travaillait que l'été où la véranda se transformait en rôtisseuse. Du bout de la santiag, il déplaça le tapis navajo, puis ouvrit la lourde trappe en bois. James descendit l'escalier, suivi par Eden. « Voilà, dit-il, en allumant. C'est un home cinéma que j'ai fait construire il y a quelques années. La terre est très dure, ce ne fut pas simple. Les plus riches du coin, surtout les survivalistes, se font construire des abris antiatomiques. Moi, je ne passe que les longs métrages de ma mère. Tu vois, elle est partout. » Eden regardait les nombreuses photos d'Eva Lopès. « C'est un sanctuaire, lâcha-t-elle, effarée. Et toi qui m'avais juré que tu ne regardais jamais ses films. Tu n'es qu'un sale menteur ! »

Il y avait la clim, une rangée de fauteuils rouges, des étagères où étaient rangés les DVD des films d'Eva, une petite armoire contenant ses robes, ses chaussures ainsi que des lettres de fans. « Tout est là, dit James. Tout ce qu'il reste de ses effets personnels, de sa correspondance, de son journal intime. » Il marqua une hésitation puis il poursuivit : « Enfin il manque le troisième cahier. En revanche, le carnet de cuir rouge dont je t'ai déjà parlé, il est dans le premier tiroir. Elle y a consigné ses dernières volontés… » James n'en dit pas plus. Il appuya sur plusieurs boutons de la télécommande. Les lumières s'allumèrent, le rideau noir découvrit un écran blanc, et la voix de Dean Martin emplit la petite salle sous terre. Le crooner interprétait *Welcome To My World*, la dernière chanson qu'Eva avait écoutée avant son suicide. Eden déplia le siège et exigea que James lui passe un film. Il n'en avait pas très envie. Mais pour ne pas la contrarier, il mit le film d'Elia Kazan, *Viva Zapata !* avec Marlon Brando qui jouait le révolutionnaire mexicain. Même si le film fut tourné au Texas, Eva renouait avec ses origines. Elle adhérait pleinement aux idéaux défendus par Zapata, exacerbés par l'écriture du scénario signé John Steinbeck. James aimait le long métrage où se mélangeaient héroïsme et pessimisme. Brando était mélancolique et désabusé, il ne croyait guère en Zapata, mais il fallait que des hommes comme lui existent et se fassent buter pour que la liberté et l'honneur aient un prix. Avec ses moustaches de gendarme de la Belle Époque et son teint faussement cuivré, il promenait sa large silhouette parmi les péons qui, sans le vénérer, reconnaissaient son courage. Quant à Eva, son regard était encore plus brûlant que d'habitude. On ne pouvait douter de ses sentiments pour l'acteur vedette.

James laissa Eden savourer ce film. Il en profita pour remonter, et griller une cigarette, car on ne fumait pas dans le home cinéma. Sur la véranda, il entendit les chevaux de

Gus hennir. Il regarda l'horizon, il vit une masse sombre et zébrée fondre sur le ranch. Il crut un instant à une tornade. Ce n'était qu'un gros orage, impressionnant certes. James vérifia que les baies vitrées étaient fermées. Il se heurta à Gus qui lui apprit qu'il avait déjà fait le tour de la propriété. « Les chevaux hennissent, dit-il en se raclant la gorge, mais ils sont moins affolés que la dernière fois quand on a essuyé une tornade. Elle est où, la gamine ? » James indiqua le sous-sol. Gus ricana. « Elle va rien entendre quand ça va nous tomber dessus », dit-il en s'essuyant les mains sur sa salopette.

Le mur d'eau arriva très vite, précédé de violentes bourrasques. Avec la multitude d'éclairs, on se serait cru le jour. Le vent hurlait comme les fous dans les hôpitaux psychiatriques. En quelques minutes, c'était devenu apocalyptique. Le ciel craquait de toutes parts. « J'aimerais bien que ce bâtard de shérif soit dans sa bagnole, hurla Gus, et qu'il soit emporté par la flotte ! Putain, ça pleut dur. » James ferma la porte coulissante qui séparait la véranda de la cuisine. Ainsi, si elle explosait sous la force du vent, le reste du ranch serait protégé. « Arrête de focaliser sur le shérif, dit James. Il est inoffensif. Ce qui m'inquiète, en revanche ce sont toutes les bêtes qui vont sortir de terre pour éviter la noyade. Bonjour les scorpions et les mygales ! »

Gus se tenait debout contre le mur, près des casseroles qui s'entrechoquaient. Le vent sifflait dans la cheminée, faisant tourbillonner la cendre dans la pièce principale. La toiture résonnait et les vitres tremblaient comme si des billes de flipper frappaient le ranch. Au loin, le tonnerre retentissait, c'était bon signe, l'orage s'éloignait, passait au nord d'Oracle, se dirigeant vers les montagnes de Santa Catilina. Tanque Verde ne serait pas détruit.

Eden réapparut une fois le film terminé. Elle l'avait adoré, surtout la fin, quand le cheval blanc de Zapata galope sur la ligne d'horizon. Quant à Eva, c'était, selon ses propres mots, une sacrée meuf dynamique, qui en imposait malgré sa petite taille, et qui avait le désespoir au bord du regard.

« Ça pue l'humidité, ronchonna-t-elle. Tu as passé la serpillière ou quoi ? » James lui montra la baie vitrée maculée de poussière et de gouttes d'eau.

— T'as jamais été doué pour le ménage, mon amour.

— Fais pas chier, répondit James. On a essuyé un violent orage, et Gus est allé voir si les chevaux n'ont rien.

Eden tombait des nues. Elle n'avait rien entendu. Ce fut violent pourtant. On aurait dit que le ranch était devenu un cargo pris dans la tempête, sur un océan de sable. Gus entra, les bottes trempées. Les chevaux se portaient bien. La jument mustang était en sueur. Elle avait une légère écorchure sur le genou, sans gravité. Comme Gus ne pouvait pas l'attacher, devenant aussitôt nerveuse, elle avait dû taper contre les cloisons pourtant capitonnées de son box. Gus l'avait trouvée dans la plaine, blessée par un animal sauvage, il y a deux ans. Il l'avait soignée, et apprivoisée. Mais elle restait craintive.

Il était difficile de contrôler la nervosité de ce pur-sang. Gus l'aimait comme une enfant. Il l'appelait Chiricahua, du nom de la tribu apache.

James voulait dormir un peu. Gus repartit chez lui. La nuit était tiède et le sol, trop sec, n'avait pas absorbé la pluie. Elle avait glissé jusqu'au chemin, creusant de profondes rigoles.

Avant d'aller se coucher, James éteignit les lumières du home cinéma, referma la trappe, et remit le tapis navajo dessus. Une fois dans le lit, il sentit la peau d'Eden. Elle dormait nue. Mais il était trop crevé pour la caresser.

9

Le pick-up blanc roulait sur la route sinueuse et étroite menant au sommet du mont Lemmon. À chaque tournant, une canette cabossée roulait sur le plancher, mais James restait impassible. Il avait décidé de prendre la vieille route, très peu fréquentée, parfois par des quads qui détruisaient tout sur leur passage. L'air était plus frais au fur et à mesure que la voiture prenait de l'altitude. C'était bien, car le pick-up ne possédait pas de clim. Dans la vallée Eden avait cru mourir de chaud. Le vent qui entrait dans l'habitacle brûlait le visage et les narines. Ses pieds bouillaient dans ses Dr. Martens noires à coutures jaunes. Le paysage devenait un peu plus vert. Il y avait des arbustes, des bosquets, pas fringants, mais pas grillés comme dans la plaine qui ressemblait à la peau fripée d'un vieil Apache. Des gouttes de sueur perlaient au front de James. L'autoradio était branché sur une radio locale qui diffusait de la country. Eden lui demanda de couper cette merde, pour reprendre son expression. « Ça fait plouc, ce truc, ça me saoule », ajouta-t-elle, en rentrant le bras dans l'habitacle. Le soleil était agressif. « La première fois que je suis venu dans la région, se rappela James, en éteignant la radio, j'ai eu le malheur de pisser face au soleil. En moins d'une minute, j'ai eu la bite aussi rouge que celle d'un chien. » Eden rit aux éclats. « C'est vrai qu'elle n'est guère plus grosse que celle d'un caniche », pouffa-t-elle. James donna un coup de volant à droite. « T'es con ! hurla-t-elle. T'as failli nous faire bouffer les putains de cactus ». Les pneus, en mordant sur le bas-côté, avaient soulevé un épais nuage jaunâtre. James replaça le pick-up sur la route qui se confondait de plus en plus avec la terre. Des vautours tournoyaient dans le ciel bleu, sans aucun nuage. Rien à voir avec celui de Tucson pollué par les embouteillages. James écrasa du talon la canette de bière. « Il était temps, grogna Eden, ça me tapait sur les nerfs. C'est une porcherie ta bagnole. Et puis, on va où ? » James accéléra, ce qui fit vibrer les tôles de la vieille bagnole. Une fumée bleuâtre s'échappa du pot.

— Je t'évite de croiser les bêtes sorties cette nuit après l'orage, dit James. Gus va faire un génocide, on rentrera après. Tu vas voir, il y a un magnifique point de vue. On dirait un panorama maritime. Sans la mer, sans l'océan. Surtout sans l'océan.

— T'as quoi contre l'océan ? questionna Eden.

James resta muet. Il regardait la route serpentant entre les saguaros qui levaient vers le ciel leurs bras transpercés d'épines. On aurait dit des personnages hallucinés de Goya.

Depuis une demi-heure environ, ils n'avaient croisé aucun véhicule. Eden avait renoncé à parler. Elle se laissait caresser le visage par le vent sec venu des montagnes. Parfois un panneau indiquait un sentier d'argile battue menant à une mine désaffectée. L'inscription avait été en partie effacée par les intempéries. Avec les pluies de la mousson, la vieille route était parfois fermée. Plus loin, une réserve d'Apaches était signalée. James marmonna. « Notre civilisation a massacré ces hommes et ces femmes qui comprennent la nature comme personne, lâcha-t-il, les mains crispées sur le volant. »

Plus James parlait, plus les articulations de ses doigts blanchissaient à trop serrer le volant. « On enfouit des déchets radioactifs comme si c'était de la merde, poursuivit-il. Ils mettront cent mille ans avant d'être inoffensifs. Les Indiens sourient en nous regardant commettre autant d'erreurs. Ils nous surveillent. Je sens leur présence. Ils s'en sortiront, je ne sais pas pourquoi, mais ils s'en sortiront. » James ralluma la radio.

La chaleur, la sécheresse, le bleu du ciel, le vide, tout ça rendait étrange le monologue de James, presque inquiétant.

Le pick-up montait toujours, la végétation changeait. Les cactus et les arbustes chétifs avaient cédé la place à des conifères. Le décor était plus vert, mais un vert un peu sombre, différent de celui des forêts du Vieux Continent. « Tiens, regarde, s'écria James, c'est une mine désaffectée. » Eden jeta un coup d'œil sur sa droite et elle vit une vieille bâtisse abandonnée. Un peu plus loin, un dôme blanc apparut au bout d'une piste en forme de lacet de basket. Il s'agissait d'un petit observatoire privé. Mais les traces humaines restaient peu nombreuses, ce qui renforçait le caractère sauvage.

Soudain la radio se tut. Seul le bruit du moteur emplissait l'espace. Plus d'arbres, que des rectangles de terre aussi pelés que le dos d'un vieux chien, et de gros rochers comme bronzés par le soleil.

Justement le soleil. Il commençait sa descente derrière les montagnes, donnant l'impression de les napper de caramel. Le ciel se colorait de rouge et d'orange, avec quelques traits roses. Des coups de pinceaux donnés par un artiste sous mescaline. Les ombres gagnaient du terrain, la lumière perdait la bataille du soir. Le crépuscule serait grandiose. Le mauve apparaissait au-dessus de l'horizon crêté. À cette époque de l'année, les montagnes n'étaient pas recouvertes de neige.

James stoppa le pick-up sur un parking désert. « Nous y sommes, dit-il, regarde comme c'est beau. » Eden lui répondit que ça foutait les boules, ce silence. Ils descendirent de la voiture. James prit les clés et son fusil.

— T'as peur de quoi ? demanda Eden.

— On fait parfois de mauvaises rencontres, dit James, sur un ton laconique.

Le fond de l'air était un peu plus frais. James conseilla à Eden de ne pas oublier son blouson.

— On va pas rester là des plombes, ronchonna-t-elle. J'aime pas cet endroit. Ça m'oppresse. On a l'impression d'être mort déjà.

— Attendons la nuit, répondit James. J'ai quelque chose à te dire.

Ils marchèrent sur un sentier qui traversait des chalets noircis par le feu. Un touriste aurait sûrement déclenché un incendie après avoir jeté son mégot de cigarette. Eden prit le bras de James. Sa peau était froide. « Tu devrais passer ton blouson », dit-il en mettant le fusil sur son épaule. Le soleil embrasa tout l'horizon, puis il roula derrière les montagnes, plongeant le décor inimitable dans l'obscurité. Une masse claire apparut sur la droite. C'était le bâtiment principal de l'observatoire astronomique, surmonté de son imposant dôme, duquel sortait un long cylindre. On aurait dit la tourelle d'un char de combat. Il n'y avait qu'Eden et James. Deux corps minuscules écrasés par l'infini, enveloppés par le silence, sous la nuit piquée de points lumineux, des sortes de SOS indéchiffrables.

Ils s'assirent sur un banc de pierre, face au décor immobile, que la lune commençait à éclairer différemment. La lumière de la nuit laissait les détails dans l'obscurité, n'offrant au regard que les masses minérales ou végétales. La vie grouillante était dans le noir. James posa son fusil contre le rebord du banc. Il regarda Eden. Son visage ressemblait à un masque de tragédie grecque avec deux trous noirs à la place des yeux.

La clarté lunaire lui conférait un côté irréel. Il alluma une cigarette, la première depuis le départ du ranch. Il n'avait pas bu non plus. La glacière regorgeait de bonnes bières pourtant. « J'ai faim, dit Eden. Tue-moi un coyote ». James sourit. C'était un sourire triste, usé comme le bas d'un vieux jean. Soudain il se raidit alors qu'il s'apprêtait à parler. Il avait entendu un caillou crisser sous une semelle. Il prit son fusil et se leva. Ce qui inquiéta Eden. Il lui fit signe de se taire en mettant son index sur ses lèvres. Il avança vers le chemin, arma son fusil, au cas où quelqu'un surgirait des buissons. Il fit quelques pas, s'arrêta, il ne voulait pas s'éloigner d'Eden. L'éclat de la lune éclairait faiblement le sentier. Il n'entendait que le vent du sud. Tout semblait calme en fait, sauf le sang de James qui bouillait dans ses veines. Il revint vers le banc où l'attendait Eden. Elle serrait les poings, prête à riposter en cas d'agression. « J'en ai flanqué des coups en prison, dit-elle tout bas, j'ai même mordu une salope à l'oreille. J'avais du sang plein la bouche. Si on ne nous avait pas séparées, je crois que je la lui aurais bouffée en entier. Alors tu as vu quelque chose ? » James hocha la tête négativement. Il se rassit sur le banc, posant le fusil sur ses genoux. Eden se blottit contre son corps. « C'est peut-être un camé, dit James. Ils viennent ici se faire un shoot et planer devant le panorama. Quand je suis allé à Tucson, on m'a dit que le trafic de drogue était une vraie plaie. Il y a de plus en plus d'overdoses. Les gens s'emmerdent, Eden. » Elle l'embrassa sur la bouche, ses lèvres avaient le goût de la poussière. Un coup de vent le décoiffa. Avec sa barbe un peu blanche, ses cheveux en désordre, et sa peau burinée, il était beau comme un marin de Gibraltar. « Sinon, ce sont des illégaux, poursuivit James, la voix mauvaise. Ils se cachent dans les chalets de skis qui ont brûlé. Ça leur fait un refuge sur la route de leur fuite. Si c'est ça, je les butte sans sommation. » Face à la violence qu'il manifestait, et qui semblait disproportionnée aux yeux d'Eden, James expliqua le meurtre horrible dont fut victime son père. La jeune femme poussa un cri d'effroi mêlé de colère. « Je ne savais que ton père avait été assassiné ! Tu ne m'as jamais parlé de lui. » James dit encore que c'était son père qui l'avait élevé après la mort de sa mère, qu'il avait été un grand nageur médaillé aux Jeux olympiques avant de faire l'acteur dans des films célèbres. Il raconta un peu la vie de Pet Kat. Eden l'écoutait sous le ciel étoilé. Ils avaient oublié le bruit suspect. Jamais le bonheur n'avait paru si palpable. Mais eux, ils ne s'en rendaient pas compte.

— Tu te rappelles que je t'ai parlé d'un carnet rouge, dit James en s'écartant légèrement d'Eden. D'un carnet rouge où ma mère avait consigné ce qu'on devait faire avec moi, s'il lui arrivait malheur…

— Oui, et à chaque fois, tu en es resté là, rétorqua Eden. J'ai pas insisté.

— Mets des « ne » à tes phrases négatives, répondit-il sèchement.

Eden laissa glisser. Elle voulait connaître la suite. James l'avait amené ici pour lui faire une révélation. Le carnet rouge en était l'élément essentiel. « Je t'ai menti, dit James en regardant devant lui. Ce carnet n'existe pas. Ma mère n'a laissé aucun message me concernant. Elle ne me désirait pas. Elle ne m'a jamais désiré. Et elle a fini par ne plus vouloir de moi du tout. Au bout de presque neuf mois de grossesse, elle a considéré qu'elle ne pourrait pas élever son enfant. Pire, elle serait même capable de le tuer. Le réveillon de Noël fut pour elle un moment insurmontable. Elle fut prise d'une crise d'angoisse dévorante... » James s'interrompit. Son visage était grave. Il respira un grand coup. Eden crut qu'il allait éclater en sanglot. Elle voulut lui prendre la main, il la repoussa. « Ma mère s'est suicidée dans sa villa de Beverly Hills. J'ai été sauvé in extremis par mon père. Il est entré alors que ma mère agonisait dans la salle de bains, dans son vomi et ses excréments. On a pu me sauver. Pas elle. Je suis né après la mort de sa mère. Pas banal comme entrée en matière. Ma pauvre maman, elle avait le cerveau complètement cramé. »

10

La lèvre de James était fendue. Son œil droit avait rapidement gonflé. Des gouttes de sang coulaient sur sa joue puis glissaient sur sa chemise froissée. Il conduisait d'une main, se tenant les côtes, respirant par petits coups. Les phares du pick-up éclairaient les bas-côtés qui parfois se confondaient avec le ravin. Eden fermait les yeux à chaque tournant. Elle serrait le fusil entre ses cuisses. Le canon encore chaud confirmait qu'elle n'était pas en train de faire un horrible cauchemar : James avait sûrement laissé deux cadavres au sommet.

— On arrive à une ancienne station-service, dit James, le regard sombre. Le proprio y habite encore. C'est un vieux pote. On va s'y arrêter. Il me mettra un pansement.

— Tu crois que tu les as tués ? demanda Eden.

— Pas le premier, répondit James. Il a crié quand je lui ai foutu un coup de pied dans le bide. Pour le second, je dirai que, si je l'ai buté, les coyotes vont vite le dépiauter. Alors…

Après avoir révélé les circonstances de sa naissance, James et Eden avaient été attaqués par deux individus, dont l'un était armé d'un couteau. James était arrivé à les maîtriser assez facilement, car il n'avait pas supporté que deux pauvres types viennent gâcher cet instant mémorable. Si le premier s'était rapidement retrouvé la face contre la poussière, le second, en revanche, s'était montré plus coriace, frappant vite et fort. Eden, pas du tout tétanisée par l'agression, avait réussi à lancer le fusil à James qui avait flanqué un coup de crosse sur le nez du second voleur. James lui avait ensuite tiré dans le ventre en criant qu'il allait crever dans d'atroces souffrances. Puis il avait tourné l'arme contre l'agresseur à terre, et avait visé le bras droit. Eden n'oublierait jamais la lueur pâle sortie du canon lorsque James avait fait feu.

Le pick-up se rangea sur le parking de la station-service. Les pompes avaient été enlevées. Il ne restait que le nom de la marque d'essence « Repsol ». Pour attirer le regard du touriste, une blonde en casquette, short et à forte poitrine prenait une pose lascive sur un panneau publicitaire qui indiquait qu'on faisait aussi restaurant.

— Faut pas dire à ton pote que t'as buté deux mecs, dit Eden, en descendant du véhicule, le fusil à la main.

— Boucle-la et donne-moi cette arme, fulmina James.

Il prit le fusil et le cacha sous une couverture, à l'arrière du pick-up. Puis il se dirigea vers l'entrée de la baraque en se tenant les côtes. Ses santiags étaient couvertes de poussière mêlée de sang séché. Il n'y avait pas de lumière. Seule la lune éclairait faiblement le bâtiment. La porte n'était pas fermée, il la poussa, suivi d'Eden, sur ses gardes. À l'intérieur de la pièce principale, se trouvait un grand canapé de cuir râpé à tous les coins, une table basse rectangulaire, des tapis effrangés au sol. James appuya sur l'interrupteur. Une multitude de petites lampes s'allumèrent. Elles étaient incrustées dans le plafond. James ne se souvenait pas de ce détail. Il restait encore les tables rondes, quelques chaises, dont l'une était recouverte de la bannière étoilée, assez sale, et de nombreuses photos en noir et blanc accrochées aux murs. Elles représentaient des bikers sur leurs gros engins chromés. Le propriétaire, Adam Tolédano, était fou de motos. La caisse et la chaise surélevée, où s'asseyait des journées entière Adam, avaient disparu. James s'avança, les lattes du plancher craquèrent, et c'est là qu'il vit une masse sombre recroquevillée le long du mur. James s'accroupit difficilement. Il souffrait des côtes et sa blessure à l'œil saignait toujours. C'était Adam, la gorge tranchée. Le corps était encore tiède. James prit sa main ensanglantée pour chercher le pouls. Le cœur ne battait plus. Le vieux avait dû ramper jusqu'à ce recoin pour y crever comme une bête sauvage. Il était tombé sur des tocards. La plaie au niveau de la carotide l'attestait. Elle n'était pas nette. L'agonie avait été longue et douloureuse.

Eden se tenait sur le pas de la porte d'entrée. « T'approche pas, dit James. Le vieux a son compte. Il a eu moins de chance que nous. » Eden sentit son dos se couvrir de sueur. En même temps, elle aurait voulu retourner à l'observatoire pour achever les deux crevures. Car cela ne faisait aucun doute : Adam avait été victime des illégaux neutralisés par James. « J'ai besoin de me reposer un peu avant de pouvoir reprendre la route, murmura James. On va attendre que le jour se lève. Mais pas ici. Le shérif serait trop content de me mettre ce meurtre sur le dos, même si Adam, c'était un pote, un vrai pote. On va descendre jusqu'au panorama intermédiaire. Aide-moi à monter dans la caisse. »

Eden s'exécuta. Son homme assurait.

Avant de quitter la station-service désaffectée, James essuya ses empreintes sur l'interrupteur.

*

Le pick-up avait pilé, soulevant un nuage de poussière éclairé par la lune. James avait dépassé le sentier conduisant au point de vue où il comptait souffler un peu. Il fit demi-tour et emprunta l'étroit chemin. Eden buvait la bière qu'elle venait de décapsuler. Elle en mettait autant sur son t-shirt que dans sa bouche. Les nids-de-poule la déséquilibraient. James grimaçait, mais il tenait bon. Ils arrivèrent enfin au bout du sentier. C'était un cul-de-sac, et le vide après. James éprouva une étrange sensation de vertige. La tête lui tournait. Il avait mal partout. Une vague d'angoisse, accentuée par le silence de la nuit, le submergea. Il poussa la portière avec le pied. Un peu d'air frais entra dans l'habitacle. Il alluma une cigarette, tira dessus et avala la fumée comme si c'était la dernière taffe de sa vie. Eden finissait sa canette, le t-shirt imbibé de bière. James étendit les jambes de chaque côté du volant. Il regardait le pare-brise, avec les moucherons écrasés. Il crut voir le visage d'Adam quand il rendait la monnaie aux retraités du Nord venus chercher le soleil d'Arizona l'hiver, les *snowbirds*. Adam souriait tout le temps. James sortit et écrasa son mégot avec le talon. La terre était volatile, très sèche. Il s'étira en poussant un long râle. Eden vint le rejoindre et l'embrassa sur sa lèvre fendue.

— Aïe, tu me fais mal, grogna-t-il.

— Avec ma salive, *sweety*, ça va cicatriser, répondit Eden. Tiens, passe ta langue, tu ne saignes plus.

Elle voulut l'interroger sur sa mère, sur cette confession faite avant l'agression. James n'en avait guère envie, il était crevé.

— James, je t'ai vraiment dans la peau.

— Raconte pas de salades.

— Entre toi en moi, poursuivit-elle, c'est comme « *the dragon's tail* »...

— C'est quoi cette expression ? s'esclaffa-t-il, au risque de souffrir davantage des côtes.

— C'est quand les deux masses critiques de l'uranium entrent en contact, enfin, comment dire, se chatouillent, oui, c'est ça, se chatouillent, et puis boum, ça explose !

— Deux masses qui se chatouillent, ricana James.

— Oui, c'est nous. Notre rencontre est à la fois explosive et unique. Tu peux le nier, ça ne changera rien, tête de nœud !

Le cri d'un coyote rompit le silence. « Ah putain ! s'écria Eden. Ça me rappelle les hurlements des taulardes, la nuit. Certaines gueulaient comme ça. C'était inhumain. À croire qu'elles étaient possédées par le diable, ces salopes ! » Eden se blottit contre la chemise fripée de James, descendit la main sur les boutons du pantalon, les défit méthodiquement, et sortit sa queue du caleçon. Elle s'agenouilla et la prit dans sa bouche. Malgré les courbatures, James se laissa faire. Il éprouva même très vite du plaisir. Eden s'en rendit compte. Elle cessa sa fellation, se releva et ôta son short aussi court qu'un expresso servi à Rome. Elle écarta sa petite culotte et lança, le regard plein de fièvre : « Baise-moi ! Maintenant ! » Malgré les coups reçus, James la plaqua contre la calandre du pick-up et la pénétra sans effort. Il jouit rapidement, la douleur semblant décupler son plaisir. Eden poussa un cri aigu.

Il paraît que les sons ne meurent jamais. Si c'est vrai, ce cri-là était parti non seulement pour durer éternellement mais il finirait par rattraper le râle poussé par Eva Lopès au moment de quitter ce monde.

*

Le jour pointait au-dessus des montagnes. D'abord une faible lueur, s'élargissant progressivement, puis devenant plus intense. Une succession de lignes roses, orange, rouge corail. Le soleil montait très vite dans le ciel soudain bleu. Le paysage se reconstituait, chaque détail retrouvait la place de la veille, la plaine ne tremblait pas encore, mais on sentait le vent plus chaud. Bientôt le sable prendrait des couleurs inattendues, irréelles même. Le cuivre et le métal, qui avaient soulevé tant d'espoir et provoqué tant de désillusions chez les pionniers, offriraient une palette à faire pâlir Picasso. On entendait déjà le chant des oiseaux. C'était un jour nouveau. C'était le même qu'hier.

James regarda son visage dans le rétroviseur. L'arcade sourcilière était tuméfiée, l'œil droit à moitié fermé. Sa lèvre gonflée le faisait ressembler à un singe. Le sang avait séché sur les poils de sa barbe. Il s'aperçut que la manche de sa chemise était déchirée. Bref, il ressemblait à un clandestin. Il avait soif. Il prit une bière dans la glacière. Eden sortit de sa poche un kleenex et ôta la poussière de ses Dr. Martens. « T'as rien à manger ? demanda-t-elle. J'ai super la dalle. » James extirpa de la caisse située sur la plateforme du pick-up un paquet de chips au bacon et du pain de mie brioché. Eden ouvrit les chips et les avala en quelques minutes. James regardait le panorama, buvant sa bière, lentement. Le soleil tapait sur les montagnes couleur gris souris. Un voile de brume bleutée se formait sur les crêtes. La journée serait chaude. De gros nuages gris gonflaient au Sud. Il y aurait sûrement de l'orage en fin de journée.

Eden, les lèvres pleines de sel et d'huile, s'approcha de lui.

— Dis, James, mon amour, tu vas me parler de ta mère, la star ? Je veux tout savoir sur elle. Tout, tu entends !

— Ne m'appelle pas mon amour, rétorqua James. Et mother, laisse-la reposer en paix, au cimetière Forever d'Hollywood, visitée par des paons nonchalants.

Eden dit qu'elle irait la googliser. Elle gonfla le paquet de chips et le fit éclater entre ses mains. « T'es une gamine, maugréa James, en se tenant les côtes. Ce n'est pas le moment de se faire remarquer. Allez, on se tire. »

Sur le chemin du retour, Eden rompit le silence dès le premier virage : « Je suis certaine qu'il existe une bio sur ta mère… » James l'interrompit : « On ne dit pas sur mais de. Oui, il en existe une, et une seule, écrite par un certain Daniel Walker. Mon père a supervisé son travail. C'est factuel. C'est sans relief. Avec un sous-titre de merde : *Gloire brûlée.* Ma mère méritait mieux. » Elle demanda pourquoi James n'avait pas écrit lui-même une bio de sa mère. Sa réponse fusa : « Jamais ! »

En touchant l'autoradio, Eden vit une cassette glissée à l'intérieur. Elle appuya sur le bouton et la voix d'Amy Winehouse envahit l'habitacle. La chanteuse, morte en 2011, interprétait *Back to Black*, version live. « Tu te souviens de notre première rencontre, la chanson sur laquelle je t'ai embrassé ? » demanda Eden. Pour toute réponse, James accéléra.

La chanson fut écoutée en boucle jusqu'à Tanque Verde.

11

James respirait mal mais souffrait moins. Un bandage entourait ses côtes froissées. Cette thérapie avait été prescrite pas Gus. Il avait également trouvé dans sa pharmacie de puissants analgésiques qu'il donnait à ses chevaux. Il fallait faire avec les moyens du bord puisqu'il n'était pas question de consulter un médecin, ce qui aurait attiré l'attention. Son visage restait boursouflé malgré les boules d'arnica qu'il laissait fondre sous la langue, traitement là encore préconisé par Gus. Eden l'appelait désormais « le doc ». Son œil avait un peu dégonflé en revanche, mais restait violacé. Sa joue ressemblait à une quetsche. Quant à sa lèvre, elle cicatrisait difficilement. C'était une bonne excuse pour ne pas parler. Il occupait ses journées à boire des bières glacées, à fumer et surtout à écrire le scénario à partir des principaux éléments que lui avait envoyés par mails Mc Coy. L'inspiration semblait revenue. Il se relevait même la nuit pour noter des trouvailles ou des expressions qui crédibilisaient les dialogues. Le seul hic, c'était qu'il avançait sans contrat. Il avait cependant confiance en Mc Coy. Dès qu'il aurait retrouvé sa mobilité, et son vrai visage, il irait à Los Angeles.

En pensant cela, il sentit son estomac se tordre. Car cette ville était un vrai cul-de-sac. Après la plage, le Pacifique. Impossible de s'échapper.

Eden prenait moins de barbituriques. Elle se sevrait doucement. Parfois elle était mélancolique, son regard traînait sur les collines. Parfois elle était irritable. Alors elle balançait une vacherie à James qui, fidèle à son habitude, ne répondait pas. Un soir, elle s'était plantée devant lui, elle avait dit : « T'es trop fort comme mec. Tu gagnes ton fric en mentant. » James avait souri. C'était une bonne définition de sa profession.

Eden lui avait également demandé la biographie de sa mère. D'abord réticent, James avait fini par céder. Avec cette fille, il cédait toujours. Il était descendu dans le home cinéma et avait pris l'exemplaire de son père, ce qui était un gage de confiance. Et d'amour, avait gloussé Eden. Là encore, James n'avait rien répondu.

Un soir, Eden lisait sur la véranda. Elle portait un tanga rose et un marcel qui découvrait ses omoplates saillantes. Elle avait un peu bu, du gin et du whisky mélangé. Elle hurla : « Ta mère, y paraît qu'elle a eu mille amants. Sa devise était: pas un jour sans faire l'amour. Eh bé, c'était une chaudasse ! » James était dans son bureau. Il avait entendu la dernière phrase. Il hurla à son tour : « Comme toi ! » Eden le rejoignit en titubant. Elle avait la langue pâteuse. « Comment ton père a accueilli la confidence ? » demanda-t-elle. James ôta ses lunettes. Il avait toujours le visage aussi multicolore que le chapiteau d'un cirque.

— Mon père n'y a pas cru, a-t-il dit. Ça faisait partie de la légende Lopès. C'était une provocatrice. Elle était dans la surenchère. N'oublie pas que sa rivale, c'était Marilyn Monroe.

— Ouais, bafouilla Eden. Et toi, vieille burne, t'es dans le déni.

James replongea dans son travail. Sinon il l'aurait giflée.

Sa mère était certes volcanique, mais il n'aimait pas qu'on fît preuve de vulgarité à son égard. Elle était également excentrique. Sur une photo, on la voit jouer du piano, nue. Plus précisément, elle ne porte qu'une chemise de lin blanc un peu froissé, comme le vent froisse les champs de blé en juillet. Sa chevelure noire, légèrement bouclée, tombe sur ses fines épaules. Ses fesses, rondes et lisses, sont en contact avec le cuir du tabouret. James était amoureux d'elle. La vérité était dérangeante, il n'y avait rien d'autre à dire, pourtant. Sur cette photo, elle est plus jeune que lui à présent. Elle aurait pu être une amante experte et délicate. Avec ses mains de pianiste, c'était une évidence. Elle jouait nue pour exprimer sa liberté, la revendiquer face à sa famille catholique, son corps comme respiration libre. Elle s'était battue pour s'imposer comme actrice, et il savait que son énergie, elle la tenait de là, de cette pose impudique et mélodique.

James aurait voulu qu'elle soit entièrement nue, pour voir son dos si droit, sa colonne vertébrale, la force de son échine. Celle qui lui avait toujours manqué.

Eden lisait à présent sur son lit. Elle apprit qu'Eva Maria Conception Lopès était née dans une famille mexicaine qui habitait la capitale. Son père, Francisco, était colonel dans l'aviation et sa mère, Juliana, chanteuse lyrique. À la mort de son mari, descendu en plein vol par un cuirassé japonais, au large d'Okinawa, les Mexicains s'étant alliés aux États-Unis, Juliana eut de sérieux problèmes d'argent. Comme sa carrière déclinait, sa voix ayant été altérée par l'absorption massive de tranquillisants et d'alcool, Juliana décida une reconversion. Elle tint un salon littéraire pour bourgeois désœuvrés. Les mauvaises langues affirmèrent qu'elle n'hésitait pas à vendre ses charmes. Nous étions en 1942, Eva venait d'avoir douze ans. Son caractère était terrible. Elle se battait avec les garçons de l'école, n'acceptant pas leur arrogance de mâles. On la surnommait « herbe folle », *hierbajo* en espagnol. Elle était toute petite, mince et fragile, mais ne pliait jamais. Juliana fit jouer les relations de son défunt mari, considéré comme un véritable héros de la patrie, et Eva fut placée en pension dans un prestigieux établissement scolaire du Texas. Elle ne remit qu'une fois les pieds à Mexico, pour l'enterrement de Juliana, morte après avoir absorbé un cocktail de barbituriques. Au pensionnat, qui n'était pas mixte, on se méfiait de sa violence. Pour un peu, on aurait pu croire qu'il s'agissait d'un garçon habillé en fille. Elle n'avait presque pas de poitrine, et la verdeur de son langage scandalisait ses professeurs.

Bref, c'était un ouragan.

Elle possédait néanmoins de grandes qualités intellectuelles. Hypermnésique, elle parlait cinq langues. L'espagnol, naturellement, l'anglais, le français, l'allemand et même le russe, ce qui lui vaudrait d'être soupçonnée d'avoir des relations avec l'URSS, et de figurer sur la liste noire du sénateur McCarthy.

Une seule chose parvenait à la canaliser : le théâtre. À seize ans, elle connaissait par cœur les grandes tragédies de Shakespeare. Elle n'était pas Juliette, mais plutôt Ophélie.

Elle joua dans des troupes d'amateurs, sur des scènes miteuses et sales, devant un public d'ivrognes et d'illettrées. Parfois devant personne. Mais elle aimait ça. Elle voulait être actrice de théâtre, actrice tout court, jouer la comédie, la tragédie, jouer n'importe quoi, mais jouer. Elle était instinctive. Elle savait où se placer, elle n'était pas embarrassée par son corps, le dos droit, les yeux regardant en face, la voix un peu perchée, mais jamais fausse. Elle fumerait pour la rendre plus rauque, cette voix, plus mature, pour l'imposer à tous. Sa mère, qui ne tenait pas à l'avoir dans ses pattes, lui paya des cours d'art dramatique. Elle signa sans hésiter son premier contrat à sa place puisqu'elle avait dix-huit ans à peine. Son professeur, Samuel Saulman, comprit immédiatement qu'il tenait en Eva la perle rare. C'était un homme charmant, maniéré, un peu androgyne, avec les yeux d'Elizabeth Taylor, et qui était aussi salope qu'une reine d'Égypte. Une curiosité pour la jeune fille. Il vivait avec un garagiste texan. Il ne réparait aucune voiture et buvait comme un berger écossais. Ça amusait follement Eva. Samuel Saulman, la soixantaine dépassée, connaissait tout Hollywood. Il était ami avec l'extravagant Erich von Stroheim. Et ça, c'était primordial.

Eden lut la rencontre entre l'acteur d'origine austro-hongroise, naturalisé américain, et Eva Lopès. Elle la trouva insipide, et comprit que l'auteur avait été censuré par Pet Kat, ou pire, s'était autocensuré. Elle posa le bouquin avant la fin du chapitre et décida de demander à James ce qui s'était réellement passé.

Elle le trouva devant son ordinateur, la bouteille de bourbon vide, jetée dans la corbeille. Sur l'écran on pouvait lire le dialogue suivant : « Comment tu sais qu'il est du FBI ? demanda Clara. Parce qu'il a les épaules larges, répondit Murray. Les types du FBI ont tous les épaules larges. Et les femmes ! s'écria Clara. Pareil ! lança-t-il. »

« Alors tu veux quoi ? » interrogea James, tout en sauvegardant son texte. Eden lui dit qu'elle voulait savoir comment s'était déroulée la rencontre avec von Stroheim, celle qui avait été déterminante pour la carrière de sa mère. James se gratta la nuque. L'écriture l'avait épuisé. Il lui proposa de sortir. La nuit était chaude, le ciel obscurci par les nuages. Ils marchèrent dans la poussière. « C'est vrai que raconté comme ça, cette première rencontre paraît mièvre, » dit James, le sourire aux lèvres. Il alluma une cigarette. Eden avait mal au crâne, elle avait trop bu. Elle s'assit sur un petit rocher isolé.

— Dans son cahier, dit-elle, je suis certaine que c'est plus croustillant.

— Oh, pas vraiment, rétorqua James, resté debout. Elle consignait tout et n'importe quoi. Des recettes de cuisine, des fringues offertes, l'alcool bu, l'heure de ses règles, la couleur de sa future voiture, la note attribuée à un roman, ou à un amant d'un soir, une note allant de 1 à 9, le 10 étant la perfection, c'est-à-dire un point inaccessible d'après elle. Le 10, c'était réservé à Dieu. Elle était très croyante. Bref, il y avait à boire et à manger, comme on dit. Plus à boire qu'à manger, du reste. Elle mangeait peu, se nourrissant surtout de soupes et de compotes. En revanche, elle carburait au bourbon-gin, sa boisson fétiche.

James écrasa sa cigarette. Quand on le questionnait sur sa mère, il était intarissable. Il débitait tout ce qui lui passait par la tête, d'un ton étrangement laconique. Il alla chercher une bière dans le frigo, laissant Eden dans la stridulation des grillons, pas très rassurée. Elle évitait de poser les pieds sur le sable. Au loin, un éclair illumina la montagne, sans que l'on entende le grondement du tonnerre.

James revint avec deux bières glacées. Il en tendit une à Eden qui la refusa. « J'arrête de boire, j'ai mal à la tête. Je veux savoir la vérité sur la rencontre avec von Stroheim. Allez, sois sympa. » James but une gorgée et il commença son récit.

« Je ne me souviens plus de tous les détails, dit-il. Je sais que Sam Saulman, qui serait plus tard son manager jusqu'en 1955, date de sa mort, l'accompagnait. Ma mère découvrait pour la circonstance Los Angeles, et les somptueuses villas de Beverly Hills. Von Stroheim avait la réputation d'avoir une vie scandaleuse. Comme réalisateur, même s'il était génial, il ne tournait plus car il jetait l'argent par-dessus les palmiers de Sunset Boulevard. Comme acteur, il était impénétrable, hiératique et brillant. J'aime bien ses films des années trente, en particulier *La Grande Illusion*, de Jean Renoir, avec Jean Gabin et Pierre Fresnay. Fuyant la France en mai 1940, il retourna aux États-Unis et reprit le chemin des studios d'Hollywood. Ma mère l'a rencontré en 1948. Elle fut surprise par le style intérieur de sa villa, des tables haute époque, du gothique presque exclusivement, et des fauteuils comme des trônes au milieu de pièces vidées par les terrifiantes colères du maître des lieux. Il lui parut étrange. Ses yeux étaient plissés et froids. Il avait les cheveux gominés, avec la raie au milieu et les côtés rasés, découvrant une peau de reptile. Son visage était impavide. Aucune émotion ne s'y lisait. Il portait un costume croisé de couleur sombre, une pochette blanche, une cravate gris perle et des gants beurre frais. Il s'assit dans un vaste fauteuil, sans la prier d'en faire autant. Il prit un fume-cigarette qu'il alluma, soufflant au plafond la fumée bleutée. Sam était debout dans un coin de la pièce monumentale. Von Stroheim demanda à ma mère de se dévêtir. Sans broncher, elle ôta sa robe légère et se retrouva en culotte et soutien-gorge devant l'acteur. Il lui dit, d'une voix gutturale, tenant son fume-cigarette entre les doigts, très haut : "Vous devez être nue sous votre robe. C'est comme cela que vous obtiendrez ce que vous voulez à Hollywood." Ma mère s'exécuta. Il lui dit encore, sur le même ton, en attrapant un stick : "Mettez-vous à genoux, et baissez votre tête." Ma mère s'exécuta une nouvelle fois, sans difficulté. Son corps était souple et elle n'était pas pudique pour deux sous. C'est alors que deux jeunes filles entrèrent, nues, suivies de deux mignons en slip kangourou, qui jouaient des instruments à cordes, le buste enduit de blanc. Deux Noirs sortirent de portes dérobées et apportèrent des fouets. Ils étaient nus également, leurs muscles huilés. Sam Saulman assistait au spectacle sans broncher. Il semblait connaître le scénario. Ma mère fut fouettée pas les deux jeunes filles. Elle serra les dents quand les lanières s'abattirent sur son dos. D'abord, elle eut mal, puis elle finit par surmonter la douleur. L'une des deux filles lui griffa le creux des reins d'un coup brusque. Von Stroheim demanda à ma mère de se relever, en faisant claquer le stick sur sa cuisse, ce qui permit à la seconde fille de lui pincer la pointe des seins. Ma mère grimaça, sans toutefois la repousser. Après avoir lâché le fouet, la première fille lui effleura le sexe avec un petit bâton souple. Ma mère se contracta. Von Stroheim lui ordonna de ne pas résister, en continuant d'agiter son stick. De la cendre tomba de sa cigarette. “Vous devez accepter, dit-il, autoritaire. Je veux être certain que vous n’êtes pas vierge. Une vierge n’exprime rien d’authentique. Elle n’est pas crédible devant la caméra.” La première fille s’agenouilla et commença à la pénétrer lentement avec l’objet oblong, tandis que la seconde l’embrassa sur la bouche. Les musiciens jouaient. Ma mère crut reconnaître un morceau de Mozart, si raffiné par rapport aux sévices qu’elle endurait. C’est alors que Sam se déshabilla et enfila un long manteau de cuir apporté par l’un des deux Noirs. Il le remercia en le rouant de coups et en le traitant de lopette. Le second Noir subit le même traitement sans broncher. Tout semblait convenu. Ma mère crut défaillir quand la fille enfonça totalement l’objet. Ses jambes tremblèrent. Mais elle resta debout. Ses forces ne l’abandonnèrent pas. Ainsi prouvait-elle qu’elle possédait une volonté de fer, presque effrayante. Von Stroheim coinça le stick sous son aisselle, puis frappa dans ses mains, et tous s’éclipsèrent, sauf Sam qui tentait de retrouver son souffle. “C’est parfait mon petit, dit solennellement von Stroheim. Sam a eu raison de vous faire venir. Il sait reconnaître le talent et détecter le vice. Je vais vous trouver un rôle. Un grand rôle.” Puis il s’adressa à Sam : “N’oubliez pas de me rendre le manteau de cuir. C’est celui que j’avais dans *La Grande Illusion*.” Von Stroheim se leva de son trône et monta l’escalier de sa villa qui ressemblait à un palais, le stick sous le bras et le fume-cigarette à la bouche. Ma mère, encore un peu dans les vapes, avait toutefois compris que sa carrière allait décoller. Elle se rhabilla, laissant ses sous-vêtements sur le sol. Elle avait mal partout, son dos était lacéré, un mince filet de sang coulait de sa vulve, mais elle était pleine d'un feu intérieur qui transcendait la douleur. »

Eden n'en revenait pas. James avait raconté cette scène sadique sans la moindre émotion. C'était de sa mère dont il parlait, tout de même. Jamais elle n'aurait cru qu'une telle audition pût exister. « J'ai oublié un détail, s'écria James. Il y avait aussi un duo de sœurs siamoises. C'étaient des sœurs araignées. Elles possédaient quatre bras et trois jambes, et se déplaçaient en utilisant leurs deux jambes et leurs bras, comme une araignée, d'où leur surnom. Elles étaient reliées par le bassin ou l'estomac, je ne sais plus, mais elles parvenaient à s'embrasser en se contorsionnant, ce qui pimentait la scène. »

L'orage se rapprochait. Les éclairs se multipliaient. Dans la nuit, ça ressemblait à un feu nucléaire. « Une dernière anecdote, dit James. À la mort de von Stroheim, en 1957, ma mère a réussi à acheter son manteau de cuir. Hélas, on le lui a volé après son suicide. Le vêtement a réapparu il y a quelques années. Un acteur, dont je tairai le nom, parce que sa fille est comédienne, le portait lui aussi nu dessous pour rosser des lopes que lui envoyait Noureev. Ça se passait dans une chambre d'un hôtel de la rue des Beaux-Arts, à Paris, où Oscar Wilde se suicida. Après j'ai définitivement perdu sa trace. »

Un éclair frappa la montagne, déclenchant un début incendie. Des bourrasques soulevèrent des nuages de poussière. C'était un orage sans pluie. James les craignait, des braises en tournoyant pouvaient embraser les buissons proches du ranch. Il dit à Eden de rentrer.

Eva Lopès, à peine remise de cette épreuve humiliante, eut la surprise de recevoir du champagne et du caviar offerts par Erich von Stroheim. Une semaine après être rentrée au Texas, elle apprit que Billy Wilder l'attendait pour passer un bout d'essai en vue d'un rôle dans son prochain film, *Sunset Boulevard*. Von Stroheim y interprétait Max, le majordome allemand d'une vieille gloire du cinéma muet tombée dans l'oubli, Norma Desmond. Eva réussit à convaincre Billy Wilder. Sa carrière était bel et bien lancée. L'histoire ne dit pas si elle avait dû prouver qu'elle ne portait pas de sous-vêtements…

Outre Von Stroheim, plus inquiétant que jamais dans le film de Wilder, Eva côtoya de nombreuses stars hollywoodiennes sur le plateau. Elle apprit beaucoup en observant le jeu de Gloria Swanson. L'actrice interprétait son propre rôle et son regard exprimait la folie. Eva pensa qu'elle était réellement dérangée et que, elle aussi, elle finirait folle. Du reste, à la fin du tournage, de son écriture fine et serrée, elle nota dans son cahier : « Si je suis folle, je deviendrai une star ; si je ne le suis pas, je le deviendrai de ne pas avoir été une star. »

Eva croisa sur le plateau Buster Keaton qu'elle considérait comme le plus grand acteur de tous les temps. Elle était fascinée par ses yeux globuleux, terriblement expressifs, toujours tristes de savoir que la mort finissait par avoir le dernier mot. Et malgré ça, de faire rire le public. Elle rencontra également Cecil B. DeMille jouant son propre rôle. Ce dernier fut intrigué par cette débutante qui possédait grâce et naturel, deux atouts majeurs. Plus tard, il la ferait tourner dans l'une de ses superproductions et c'est là qu'elle ferait la connaissance de Pet Kat.

Le dernier jour du tournage, von Stroheim vint la voir et dit froidement : « Vous débutez dans un film qui montre le cynisme d'Hollywood et les ravages que le cinéma produit sur les actrices et les acteurs, leur inéluctable et cruel déclin. C'est paradoxal. Ça convient à votre nature profonde. » Il marqua une pause, et il poursuivit sur le même ton, en détachant les syllabes : « La dernière scène est terrible. Le regard de Gloria est glaçant. La folie s'est emparée de son esprit. Je ne sais même pas si elle joue à cet instant. Elle descend l'escalier, c'est son ultime apparition. Les projecteurs éclairent déjà un fantôme. Et je prononce le mot magique, le mot pour lequel on sacrifie sa vie : Moteur ! Entendez-le résonner dans votre cerveau. Moteur ! »

Assise dans un fauteuil du salon, face à la baie vitrée derrière laquelle on ne comptait plus les éclairs, Eden continuait la lecture de la bio d'Eva Lopès. James, quant à lui, était allé se coucher. Il souffrait encore de ses côtes et les antalgiques l'assommaient. Elle lut d'une traite la partie consacrée à la rencontre avec Marlon Brando. C'était à New York, en décembre 1948, à l'Ethel Barrymore Theatre. Brando triomphait dans la pièce *Un tramway nommé désir*, de Tennessee Williams, mise en scène Elia Kazan. Brando était Stanley Kowalski, un ouvrier d'origine polonaise, brutal et buveur. Il se plongea dans le rôle jusqu'à devenir Kowalski lui-même, dont il avait saisi la psychologie qui se résumait à celle d'un « homme aux poings serrés » selon sa propre expression.

Brando est beau, magnétique, ses cheveux gominés ; il en rajoute dans la provocation sexuelle, il porte ses jeans humides qui, en séchant, moulent ses bijoux de famille. Il a un t-shirt troué, ses muscles saillants dégoulinent de sueur. Le personnage n'est pas un mauvais garçon. Brando en fait un animal triste, fragile, laissant éclater sa part féminine, rendant son regard ambigu. Il joue de sa bisexualité, il trouble aussi bien les hommes que les femmes. À Brando, malgré sa jeunesse, on n'apprend rien. Il sait.

Sur scène, Brando fait le pitre, il est drôle, change le texte, tire la couverture à soi, déstabilise ses partenaires, il joue dans le jeu, il ne respecte personne. Il s'en fout. Acteur, c'est un métier comme un autre. On peut gagner beaucoup d'argent. C'est tout ce qu'il constate. De l'expression « monstre sacré », il ne va garder que « monstre ». Celui qu'on montre, exhibe. Et pour finir cloîtré, dans le noir, épave vaincue par le gras. C'est dans cette ultime période de sa vie que James le rencontra.

Pour le moment, Eva Lopès frappe à la porte de la loge de Brando. Il est fatigué, d'humeur maussade. Il pue la transpiration, il ne s'est pas lavé depuis plusieurs jours. Eva est accompagnée de Sam Saulman qui connaît Brando. Ils se reconnaissent, s'embrassent. Sam est un peu gêné, pas Brando. La veille, l'acteur s'est battu avec l'un des acteurs de remplacement, Jack Palance, une gueule qu'on n'oublie pas et qui fera de lui le plus grand salopard du cinéma mondial. Palance a été mineur. Le coup qu'il a asséné à Brando lui a cassé le nez. Malgré la chirurgie esthétique, l'arrête ne sera plus tout à fait rectiligne. Brando est torse nu, debout contre la cloison de la loge. Il porte un vieux jean usé. Eva le salue, à distance. Elle n'est pas impressionnée, seulement incommodée par l'odeur. Brando comprend, il sourit. Ça l'amuse, il vient encore de choquer. Seulement voilà, Eva n'a que faire de Brando, de ce phénomène capricieux qui triomphe tous les soirs à Broadway – elle est sur un nuage, Billy Wilder vient de l'engager. Sam lui a dit que Kazan allait tourner la version cinématographique d'*Un tramway*, qu'il cherchait une actrice pour jouer le rôle d'une femme mexicaine et que ce serait bon d'aller saluer Brando pour qu'il suggère sa candidature à Kazan. Eva est donc là, ce soir de décembre. Dans sa tête, une petite voix lui dit que ça ne peut pas être plus douloureux que la rencontre avec Erich von Stroheim. Et qu'il fait trop froid pour rester dehors.

— Comment vous faites pour monter sur scène avec le nez cassé ? demande Eva, un peu ironique.

— On monte avec les jambes, pas avec le nez, répond Marlon en riant aux éclats.

Eva ne se démonte pas. Elle a pigé que Brando, sous des allures de macho, pouvait être aussi tendre que du beurre. Il est fêlé. Elle aussi. Entre eux, il n'y aura aucun malentendu.

Eden fulminait car le biographe n'en disait pas plus sur la relation entre Eva et Marlon, évoquant directement leur complicité professionnelle. Avaient-ils couché ensemble ? Probablement. Mais quand et où ? James savait. Il dormait. Après avoir jeté le livre par terre, elle décida de le rejoindre.

Les éclairs crépitaient dans la nuit, comme les flashs des journalistes mitraillant Gloria Swanson descendant l'escalier sous le regard de von Stroheim.

12

James prenait son petit déjeuner dans la cuisine. Café noir, œufs brouillés, bacon, toast grillé. Il se résignerait ensuite à brûler ses Tony Lama maculées du sang d'Adam. Il devait y avoir l'empreinte de ses semelles dans la station-service du vieux. Le shérif Dukan était borné, mais pas total con.

Alors que James finissait son deuxième bol de café, Eden apparut. Elle l'embrassa dans le cou, se fit griller un toast, tout en buvant un jus d'orange. « J'ai une question à te poser », dit-elle, en ouvrant les placards à la recherche du miel. James ne répondit pas. « Ah putain ! Il est où le miel ? » hurla-t-elle. Pendant ce temps, le toast avait noirci, coincé dans le grille-pain. La journée commençait plutôt mal.

« Dis donc, ils ont couché ensemble, ta mère et Brando ? » James se gratta la joue. Depuis combien de jours ne s'était-il pas rasé ? « Le soir de leur première rencontre, répondit-il. Brando aimait beaucoup les jeunes femmes. Et puis, c'était un sex-symbol. Il a charmé la planète entière rien qu'avec son dos. Regarde *Un tramway nommé désir* pour t'en convaincre.

C'est le dos le plus érotique de l'histoire du cinéma. Ma mère a écrit dans son cahier que Brando l'avait invitée à prendre un cocktail au Stork Club. Il avait passé un manteau en poil de castor sur un gros pull et gardé son Levi's. Sherman Billingsley, le patron, l'avait laissé entrer malgré tout, car on ne refusait rien à Marlon Brando. Ma mère avait pris plusieurs Manhattan qui lui avaient tourné la tête. Brando l'avait écoutée sans ouvrir la bouche, les jambes écartées. Elle avait fini par lui demander ce qu'il fixait. "Votre pied, avait-il répondu, j'attends le moment où vous cesserez de l'agiter." Il lui avait dit ensuite que ce qui comptait au cinéma, c'était le visage. "C'est l'attrape-lumière, avait-il ajouté d'une voix étrangement douce. Mais maintenant, avec la technique, ça va changer, c'est le corps tout entier qu'on va filmer. Et vous avez un corps moderne, un corps qui bouge librement. Les actrices ne savent pas jouer avec leur corps. Vous, si. Ça ne veut pas dire que votre visage compte moins, au contraire. Vous avez des yeux qui vous dispenseront de faire de longues déclarations ennuyeuses. La vie est suffisamment pesante. Et il avait souri comme seuls les timides en ont le secret. »

James prit un troisième bol de café puis poursuivit : « Ils avaient passé la nuit à l'Algonquin, à proximité du quartier très interlope, à l'époque, de Time Square. Au petit matin, Brando lui avait dit, toujours avec douceur : "C'est au début qu'il faut baiser. On est débarrassés. On peut ensuite parler boulot, sans tension." Il avait ajouté : "Tu es brune comme ma mère. Tu lui ressembles. Cette nuit, j'ai eu l'impression de la tenir dans mes bras. Comme quand elle rentrait tard le soir, ivre. Elle venait dormir dans mon lit. Ça l'apaisait. On était bien comme ça, tous les deux. C'est la nuit qui offre le meilleur refuge à la vie." »

James but une gorgée de café. « Eva et Marlon ne se sont jamais perdus de vue, a-t-il continué. Elle a tourné dans la version cinématographique du *Tramway*. Puis dans *Viva Zapata !* que tu as regardé. Deux films de Kazan. Puis Brando a réalisé lui-même *La Vengeance aux deux visages*. Il a aussitôt pensé à son amie mexicaine, "la bombe latine", "la furieuse", ma mère. Brando a toujours soutenu les minorités stigmatisées par l'Amérique réactionnaire. Il a tourné son film en 1961, un an avant la mort de mother. Il y a la scène d'ouverture où Rio, surnommé The Kid, joué par Brando, drague une *señorita*, quelque part au Mexique, en 1880. Il lui offre une bague, il dit : "Elle appartenait à ma mère." Il ajoute : "Elle l'avait encore sur son lit de mort." Mais Rio est un bandit, il doit fuir devant l'arrivée des "federales". Il reprend la bague avant de filer avec son complice, interprété par Karl Malden, en réalité un traître. La jeune fille est triste. Sur le tournage, Brando avoua à mother : "J'aurais voulu te faire jouer cette *muchachita*. Ça aurait rappelé notre première nuit à New York, mon trouble devant ta ressemblance avec Dodie, ma mère. Mais tu as passé l'âge et j'ai un plus beau rôle à t'offrir, un rôle où tu seras aussi belle et tourmentée que la madone de Munch." »

« Brando lui est toujours resté fidèle, conclut James. Il était présent à ses obsèques. Sa présence fut très commentée. En revanche, Kazan, ce faible... » James ne finit pas sa phrase. Il n'en avait pas envie.

Dehors il faisait déjà très chaud, malgré la présence de gros nuages couleur de plomb. James portait son stetson décoloré par le soleil. Il déposa ses Tony Lama dans un cylindre rouillé. Il vida le jerrican d'essence et jeta une allumette qui fit flamber l'intérieur noirci par de précédents feux. En reculant vivement, il ressentit une douleur au côté droit qui le déstabilisa. Il perdit l'équilibre, et tomba. Son stetson fut emporté par une rafale de vent. Il resta une bonne minute couché sur le flanc, le souffle court. C'est alors qu'il entendit la voix de Gus qui l'appelait. James tenta de se relever, en vain. Gus accourut malgré sa patte folle. « Attendez patron, bougez pas », dit Gus. Il lui tendit ses doigts calleux. James les attrapa. Il sentit une force colossale le décoller du sol.

— Quelle poigne, dit-il en grimaçant.

— Vous croyez quoi, rétorqua Gus, que tout est aussi pourri que ma jambe ! En revanche, je vous laisse courir après votre chapeau de cow-boy, ricana-t-il.

James alla chercher son stetson coincé dans les fils barbelés qui délimitaient l'espace du ranch. Avec la paume de sa main, il ôta la poussière. Il mit le compte de sa défaillance sur les antalgiques. Gus l'attendait sous le bouleau. « Il faut vous reposer, dit Gus. Z'êtes secoué. Ils ne vous ont pas loupé, les *outlaws*. Je me méfie du shérif. Il va sûrement venir nous apprendre la mort d'Adam, histoire de fouiner un coup. Il sait que vous étiez ami avec le vieux. Je vais faire disparaître le fusil là où vous savez. » James acquiesça. Il sortit les clés du pick-up de son jean et les tendit à Gus.

Un mince filet de fumée s'échappait du cylindre.

*

Gus roula environ une demi-heure avant de trouver le chemin de terre qu'il emprunta malgré le panneau en forme de losange sur lequel on pouvait lire sur fond jaune : « Dead end ». Gus pestait, il avait mal à sa jambe, et surtout il écoutait malgré lui Amy Winehouse, ne sachant pas repasser en mode radio. Il trouvait la chanteuse « beuglante ». Le chemin montait jusqu'au flanc de la montagne, à une mine d'or désaffectée. Il arrêta le pick-up devant l'entrée, descendit en s'appuyant sur sa jambe valide, extirpant l'autre de l'habitacle avec difficulté. Il saisit le fusil, puis entra dans la mine où quelques wagonnets poussiéreux prouvaient que la montagne avait été exploitée. Il marcha une quinzaine de mètres, et se trouva devant un large trou noir. Il s'avança prudemment, se pencha, tendit le cou. Des planches bougèrent sous ses pieds. Quelques cailloux tombèrent. « Putain ! » s'écria-t-il. Le bois commençait à être grignoté par les termites. Ça sentait la terre des profondeurs.

Une poulie grinçait dans le lointain, sûrement agitée par le vent venu du fond de la mine. Gus jeta le fusil qui rebondit deux fois contre la paroi, puis chuta ensuite sans un bruit. Il recula, le bout de sa chaussure heurta un crâne éclaté. L'or avait tué pas mal de types. Il cligna des yeux en ressortant de l'antre. La lumière était forte malgré le ciel nuageux. Il remonta dans le pick-up et accéléra sèchement.

En retrouvant la route bitumée, Gus s'aperçut que le panneau indiquant la mine avait disparu.

*

James rentra au ranch vers dix-neuf heures. La Plymouth Fury consommait encore beaucoup d'huile malgré le travail de Gus. Elle fumait bleue. James était allé à Tucson chercher une paire de baskets. Pour changer, il s'était dit. Sur la route, il avait doublé un camion arborant un autocollant où était écrit : « Il n'y a rien qu'un bâton de dynamique ne puisse résoudre. » Il s'était dit qu'il placerait cette phrase dans un scénario. De toute façon, depuis l'élection de Donald Trump, s'était-il encore dit, le surmoi collectif avait sauté, répandant sa connerie et sa haine sans la moindre retenue. Au volant de sa vieille auto, il s'était dit beaucoup de choses sans jamais ouvrir la bouche.

13

Los Angeles avait son écharpe grise autour de sa gorge de fêtarde camée. Même les orangers semblaient avoir pris un coup de vieux. James avait quitté Tucson après le déjeuner pour être en début de soirée chez David Mc Coy. Des souvenirs lui étaient revenus durant le trajet en avion. Des souvenirs de sa femme avant la mort accidentelle de leur enfant. C'était doux et triste à la fois. Il avait ouvert son téléphone portable et écrit quelques notes pour chasser tout ça. Il revoyait Frances en maillot de bain, encore plus belle que la pleine lune au-dessus du désert de Catilina. Il aurait voulu sentir sur sa peau soyeuse *Narcotic Venus*, son parfum préféré. Elle avait les plus belles lèvres du monde, Frances. Après l'amour, il lui remettait ses cheveux blonds derrière l'oreille pour voir son visage, en particulier ses yeux verts. Elle aimait le vin blanc, les robes blanches et les voitures avec des sièges en cuir blanc. Toujours du blanc. Après la mort de Jane elle n'avait plus porté que des couleurs tristes.

James s'était également souvenu des soirées auxquelles il avait si souvent participé à ses débuts dans la profession. Il avait gâché son talent à boire des litres de champagne rosé, sniffer de la coke sur le dos de filles faciles, consommé des sachets de *hard stuff* dans des chiottes en marbre, baiser des starlettes hystériques, tout ça en costard Yamamoto et Ray-Ban, avec un salaire annuel de plus de deux cent cinquante mille dollars, oui, un sacré beau gâchis où il alternait périodes de délire et semaines de coma dans des cliniques privées sans fenêtres.

Il avait également pris de l'héroïne. Il ne se lavait plus qu'avec des lingettes, l'idée de prendre une douche le rendait dingue. Le choc thermique entre la douce chaleur procurée par la drogue et l'eau, même chaude, lui était devenu insupportable. Cette période fut heureusement de courte durée. Il aurait vite rejoint sa mère au cimetière sinon.

Les multiples excès, la mort de Jane, le départ de Frances l'avaient salement amoché. Et sa psy, Joanna Went, les yeux de la même couleur que sa chevelure noire, la trentaine pétulante, végétalienne et freudienne, n'avait pas réussi à le guérir de ses traumas. Pire, d'après lui, elle avait failli assécher sa veine créatrice.

En sortant de l'avion, il y avait donc ce brouillard qui flottait sur la ville. Une odeur de gasoil le rendit mélancolique. Il sauta dans un taxi. Les autoroutes étaient embouteillées, ça klaxonnait partout. La violence était palpable. On pouvait se taper dessus pour un rien, recevoir une balle perdue, avoir sa bagnole incendiée, comme ce fut le cas lors des émeutes meurtrières de 1992, où James eut sa Camaro SS 1969 Flat

Black brûlée sur Franklin Avenue. Puis les lettres blanches d'Hollywood apparurent. Elles resplendissaient devant lui, comme les derniers témoins d'un temps révolu. James n'irait voir ni la tombe de sa mère ni celle de sa fille, l'océan.

Le trajet lui parut interminable. Il était en retard. Le taxi le déposa devant la grande bâtisse de David Mc Coy, dans Appian Way. On eût dit l'arche de Noé échoué sur le mont Ararat. Elle surplombait la ville promise au déluge après Big One. Enfin, c'était mieux que de se retrouver dans les bureaux d'Universal avec le globe terrestre et ses jets d'eau pour touristes. Il sonna à la porte en chêne. La gouvernante ouvrit, le débarrassa de son sac. Il ôta ses lunettes de soleil et les glissa dans la poche poitrine de sa veste. L'air climatisé le fit frissonner. David Mc Coy portait une chemise crème et des espadrilles orange fabriquées par une marque française. Comme tous les managers de Los Angeles, il était bronzé. James trouva qu'il avait maigri. Il transpirait beaucoup. Il en déduisit qu'il se droguait. Mc Coy fut surpris par les ecchymoses de James. Ce dernier dit qu'il avait été renversé par un cheval. Le salon ouvrait sur une terrasse en rotonde. Par temps clair, la perspective devait impressionner les jeunes scénaristes. James éprouva une immense solitude en regardant ce brouillard bleuté qui oblitérait les immeubles et les villas. Un homme se tenait dans un coin du vaste salon, à l'écart. Il parlait à une jeune femme en minijupe et chemisier ouvert jusqu'au nombril. James s'approcha. Elle portait un soutien-gorge noir sous un tissu clair. Le type était petit et gros. Ses lunettes étaient rondes comme lui-même. Son costume fuchsia et son parfum fleuri puaient le nouveau riche. David Mc Coy fit les présentations. La caricature à bourrelets était le producteur américain de la série à laquelle travaillait James, et la fille, sa secrétaire. James ne put réprimer un sourire. Elle, c'était Shirley, vingt centimètres de plus que le producteur, Aaron Zaccaria. Il faut dire que les talons de Shirley aidaient à se propulser vers les sommets. « Alors, c'est vous, James Katenberg, dit Aaron en tendant sa main boudinée alourdie de bagues immondes. David m'a beaucoup parlé de vous. Et puis de votre mère, la Mexicaine volcanique, qui a rendu fous les mâles d'Hollywood. À commencer par Brando. Ah Brando ! j'aurais aimé le faire tourner. Mais je suis venu au cinéma un peu tard. Je rattrape le temps perdu. Je suis encore jeune. Surtout grâce à Shirley. » Et il éclata de rire, découvrant des dents blanches parfaitement implantées. Shirley devait avoir vingt-cinq ans, soit trente de moins que son boss. James s'avança vers la terrasse. En contrebas, les deux enfants de Mc Coy jouaient au bord de la piscine.

La gouvernante servit le champagne. James prit un bourbon sec. « Vous savez, dit Aaron, je suis né à Chypre, j'ai fait fortune en vendant des armes. J'ai un passeport américain et je suis un grand ami de Poutine. J'ai entendu parler de vous pour la première fois au Kremlin. » James fronça les sourcils. « Oui, poursuivit-il. C'est étonnant. Poutine, grand amateur de séries américaines, avait repéré votre nom depuis belle lurette. Il a ajouté qu'il aimait le jeu de votre mère, très naturel. Et son tempérament, a-t-il précisé, les yeux plissés. Mieux qu'un alcool fort ! C'est un sacré compliment venant de sa part. Il savait qu'elle avait été inquiétée par la folie de McCarthy. Folie antisémite également. Car des hommes et des femmes ont été dénoncés durant cette période non pas parce qu'ils étaient communistes mais parce qu'ils étaient Juifs. Poutine savait tout cela. Alors j'ai pensé à vous, à vos appuis. Mc Coy m'a parlé de votre ami Robin Bakker, agent spécial du FBI. Je me suis dit que nous allions bénéficier de renseignements classés top secret. Je… » La femme de Mc Coy, Tanya, fit son entrée. Grande et élancée, cheveux auburn, coupe courte, en jogging blanc et baskets gold, elle rentrait de son cours de danse. Ses yeux bleus parlèrent davantage à James que son bonjour appuyé. D'origine ukrainienne, elle parlait en détachant les syllabes, avec un accent chantant. Elle plaisait beaucoup à James. Il regrettait toutefois que son visage ait subi un lifting, même discret.

« Vous êtes un homme mystérieux », affirma Aaron Zaccaria, reprenant la conversation avec James. Il laissa Shirley glousser avec le couple Mc Coy. « Les gens lisses me fatiguent, ajouta-t-il. Ils n'écrivent rien de bon. Pour créer, Il faut avoir été clandestin. Avoir vécu hors la loi. Comme moi. Si vous saviez tout ce que j'ai fait. » Son sourire trahissait de coupables actions. « Mais je me suis calmé », dit-il tout bas. Avec sa main baguée, il lissa machinalement ses cheveux gominés. De petites gouttes de sueur sortaient de ses oreilles et des plis de sa nuque. Le champagne agissait. Il devait en être à sa quatrième coupe. Des plaques rouges sur son cou l'attestaient. « Bon, je sais, dit-il, il faut que vous respectiez la morale dans vos scénarios. Le mauvais doit mourir et le bon doit être sauvé. Le puritanisme américain l'exige. Tout le contraire de la réalité. Mais les téléspectateurs doivent rester dans l'ignorance, sinon ils vont faire des cauchemars et digéreront mal. Ils voteront mal, surtout, s'esclaffa-t-il. Pour l'Europe, c'est pire. Ils sont morts, là-bas. Tués par la mauvaise conscience. Ils nous emmerdent avec leurs leçons de morale ! Ils parlent et n'agissent pas. Alors que le monde bouge très vite. Regardez. » Zaccaria sortit son smartphone de la poche de sa veste et appuya sur l'application CNN. « Tiens ! hurla-t-il, encore un attentat. Une mosquée en flammes dans la banlieue de Damas. C'est tous les jours. Hier, deux kamikazes se sont fait exploser dans une grande surface de la région parisienne. On a dénombré plus de cent morts ! »

James fit signe à Mc Coy de lui servir un autre bourbon. Il voulait surtout mettre fin au monologue de Zaccaria, signer les contrats et se tirer.

— Tu ne restes pas dîner ? demanda Mc Coy.

— Non, j'ai un rendez-vous.

Aaron Zaccaria était déçu. « On aurait pu aller dans un resto français, dit-il, en s'épongeant le front avec une serviette en papier. La cuisine, c'est tout ce qu'ils savent faire désormais. » Mc Coy, Zaccaria et James passèrent dans le bureau. James regarda l'avance globale, puis la somme pour chaque épisode. C'était correct. Il avait connu pire. Il fut juste surpris par le nom de la maison de Zaccaria : A à Z Production. Zaccaria sourit, très fier. « Oui, expliqua-t-il, le poitrail dilaté, c'est Aaron Zaccaria, de A à Z. Mes initiales, quoi ! » James se retint pour ne pas lever les yeux au ciel. Il signa les trois exemplaires, but d'un trait son bourbon, et n'oublia pas de saluer Tanya. Elle était sincèrement déçue qu'il parte si vite. « La prochaine fois, dit-elle avec son inimitable accent, appelez-moi. Nous irons marcher sur la mer. Enfin, la plage... » James sourit.

Mc Coy commanda un taxi, pendant que le producteur tentait de le retenir.

— Je suis devenu sauvage, Monsieur Zaccaria. Il ne faut pas m'en vouloir.

— Appelle-moi Aaron, répondit le producteur. Tu me plais.

James mit ses lunettes de soleil, prit son sac, respira profondément l'air humide du dehors. Mc Coy le rattrapa sur le perron.

— C'est un gros connard, mais il te veut. Vous avez parlé de quoi ?

— De Poutine, ricana James. Tu devrais arrêter la dope. Tu as une femme charmante, de jeunes enfants. Et puis ça fait vieillir prématurément. Or, à Hollywood, on est foutu après cinquante berges.

Mc Coy s'épongea le front avec un mouchoir.

— Tu dors où ? demanda-t-il.

— Au Beverly Hills Hotel, dit James déjà en bas des marches.

14

James avait menti. Il avait réservé une chambre au Hollywood Panorama, situé près du cimetière Forever. Dans le taxi, il regarda ses SMS. Tous avaient été envoyés par Eden. Pour les résumer, elle se languissait. Il déposa son sac dans la chambre 507, nagea quelques longueurs dans la piscine et sirota plusieurs bières en peignoir sous le ciel toujours brumeux.

Vers vingt et une heures, il se rendit dans un petit restaurant mexicain de Los Feliz, El Chavo. Il portait un jean et une chemise de lin noir. Le vent tiède agitait les grands palmiers de Sunset Boulevard. Le ciel avait une teinte violette. Il se sentait oppressé. Il fuma une cigarette avant d'entrer. Arrivé le premier, il commanda un bourbon et avala un anxiolytique. Il n'y avait pas grand monde. Chaque table possédait une bougie. La serveuse, petite et brune, avec de beaux yeux noirs, typiquement mexicains, alluma la bougie en déposant la carte. Il se tenait au fond de la salle, dos au mur. C'est alors qu'il vit son rendez-vous venir vers lui. L'homme était grand, avec de larges épaules, les cheveux coupés court. Malgré la température élevée, il portait un costume sombre, une chemise blanche, col ouvert. Ses chaussures noires brillaient, sans la moindre trace de poussière, un exploit à Los Angeles. Il serra la main de James, la broyant presque. Son sourire était carnassier, ses yeux couleur bleu gris à tomber. Du reste, aucune femme ne résistait au charme de Robin Bakker.

« Tiens, tu ne t'assois pas à côté de moi, face à la salle », remarqua James. Bakker répondit que la glace murale suffisait pour parer un sale coup. Voir sans être vu, c'était mieux que voir et être vu. « Tu as pris un coup de poing dans la gueule ? » demanda Bakker. James en avait assez de répondre sur ce sujet. Il éluda la question. « Les produits sont ici de premier choix, dit Bakker. Je commande de la viande grillée, *carne asada*, des haricots frits et du guacamole. Et toi, ton chili ? » James acquiesça du regard. « On prend un rouge californien, un Teeter Totter Cabernet, 2011. Termine ton bourbon. Alors, tu as encore fait des conneries ? » James fut surpris. Il ne s'attendait pas à ce que Bakker soit au courant de la bagarre dans les montagnes de Catilina, d'autant plus qu'il venait de l'interroger sur ses bleus au visage. Mais, en fait, l'agent spécial parlait du dealer d'Eden, qu'il avait estropié à vie.

— Rassure-toi, sa famille ne va pas porter plainte, dit Bakker, le visage placide. Et Eden, elle est sortie de la dope ?

— En partie, répondit laconiquement James, en reposant le verre de bourbon vide. Le retour à la nature est bénéfique.

Bakker lui apprit que la drogue circulait de plus en plus en Arizona, avec la proximité du Mexique. Dans la région d'Oracle, des particuliers posaient leur mobile home sur un terrain acheté une bouchée de pain. Ils se regroupaient parfois et formaient des *trailer parks*. Ces endroits clos favorisaient le développement du trafic de drogue. Certains en fabriquaient même. Bakker précisa que deux types, probablement sous méth, venaient de buter un ancien garagiste avant de se faire occire à leur tour. James se caressa le lobe de l'oreille. Ce tic lui avait passé depuis longtemps. Mais là, l'information l'avait déstabilisé. Il ne croyait pas avoir tué les deux. Bakker goûta le vin. En levant son verre pour trinquer, Bakker découvrit la crosse noire de son revolver dans le holster, sous l'aisselle.

— J'ai un truc à te dire, lança James, au moment où la serveuse apportait les plats.

— Moi aussi, rétorqua froidement Bakker. Qui commence ?

James avoua les deux crimes du mont Lemmon, précisant qu'il croyait n'en avoir refroidi qu'un. Bakker ne manifesta aucune surprise. « Cette viande est tendre, la cuisson parfaite, dit l'agent spécial. Tu es terrible, James. Je ne vais pas pouvoir te protéger éternellement. Pourquoi tu les as butés ? » James raconta l'histoire en dévorant son chili. Il avait faim et soif. « En réalité, tu n'en as tué qu'un, précisa Bakker. Le second semble avoir été bouffé par un puma. Il n'avait plus de tête. De toute façon, d'après ce que je sais, ils n'ont pas de piste. Et puis le shérif s'en fout. Il ne protège que ses électeurs.

Mais ça craint vraiment dans la région. Ne circule pas sans arme. Tu devrais en filer une à ta copine. Je me doute que Gus doit posséder un sacré arsenal. » Bakker, en disant cela, sourit enfin. C'était un sourire qui n'avait rien à voir avec la politesse. La viande et le vin le rendaient humain. James finit son chili et piqua du guacamole. « Sers-toi, dit Bakker. Prends des haricots aussi. Il fait juste un peu chaud. La clim est poussive et je ne peux pas ôter ma veste. » Son regard s'illumina. James aimait ce Robin-là. Il l'avait connu à Hollywood, alors qu'il était le scénariste protégé de Frank Schindler. Il était traité comme un nabab. On ne lui refusait rien. C'était l'âge d'or de James. Avant le drame de Pacific Palisades. Dès le début de sa carrière, Bakker avait renseigné le milieu du cinéma sur les techniques d'investigation du FBI. Comme il aurait voulu être acteur, cela compensait un peu sa frustration. James et lui s'étaient rencontrés sur le tournage d'un polar hyper violent. Ils avaient sympathisé et ne s'étaient plus jamais perdus de vue. Les conseils de Bakker étaient toujours précis, James appréciait. Quand on invente une histoire, il faut que le détail soit vrai, sinon l'ensemble sonne faux, et c'est direct la corbeille. Ils avaient également un point commun : celui d'avoir été élevés sans leur mère. Ça suffisait pour se comprendre. Ils étaient au-delà des mots.

— Tu prends un dessert ? demanda Robin.

— Non, et toi ?

Robin finit la bouteille de vin. James commanda un bourbon sans glace et demanda : « Alors, tu veux me parler de quoi ? » Robin posa les deux mains sur la table et regarda fixement son copain. Ses yeux bleu gris imposaient le silence. Le portable de James vibra dans la poche de son jean. Sûrement un SMS d'Eden.

— Un type veut faire une bio de ta mère, révéla Robin. Une bio fouillée avec de nouveaux témoignages, en particulier celui du policier qui était chargé de la sécurité des stars d'Hollywood, Charley Wilson. Il a fait une demande auprès de nos services pour avoir accès au dossier. Je crois qu'il va avoir l'autorisation. C'est un auteur à succès. Il doit graisser la patte facilement. Tu dois le connaître. Il se nomme Théo d'Honnay.

— Jamais entendu parler, dit sèchement James. En revanche, Charley Wilson, c'est le nom que m'avait donné Marlon Brando quand j'étais allé le voir. Il savait, d'après lui, qui possédait le troisième cahier de ma mère.

Robin sourit.

— C'est lui qui le possède, avoua-t-il. Il était sur les lieux le premier…

— Avant mon père ! coupa James.

— Je ne sais pas, répondit Robin. Mais ce que je peux dire, c'est qu'il a fait le ménage.

— Et pourquoi ? demanda James.

Robin resta silencieux, les mains toujours à plat sur la table.

— Ce cahier m'appartient, fulmina James. Je ne veux pas que ce Théo Machin l'utilise ! Je vais aller trouver ce Wilson. J'ai son adresse. Je prendrai le cahier noir. Car il était noir.

— Je sais, dit Robin. C'est le FBI qui le possède désormais. Wilson a la maladie d'Alzheimer. Il est dans une maison spécialisée. Il ne se souvient plus de rien. Ce que je te dis là, ajouta Robin, personne ne le sait en dehors du département. Tu es mon pote. Je te dois la vérité.

— Toute la vérité, rétorqua James, blanc comme un linge.

— Je n'ai pas lu le contenu du cahier, continua Robin. Je voulais juste te prévenir. Tu vas sûrement être contacté par ce biographe.

— Mais pourquoi le FBI s'intéresse-t-il à mother ! s'écria James. Robin hésitait à lui répondre. Il termina son verre de vin, puis proposa de marcher sur le boulevard.

Les palmiers s'élançaient haut dans la nuit. Le temps était lourd. Les moteurs des limousines allemandes couvraient les rires des filles qui se déhanchaient le long de la route.

— Alors accouche Robin !

— Pas ce soir, vieux, répondit l'agent spécial, pas ce soir. James serra les poings. Il aurait voulu le frapper, mais il ne pesait pas lourd face à cette masse entraînée.

— Emmène-moi au 77 Trenton Drive, dit James, le visage tendu par la colère.

— Et on va faire quoi au 77 ? demanda Robin.

— Pose pas de question Roby, cria James.

C'était la première fois qu'il l'appelait Roby.

Une fois monté dans le 4x4 aux vitres teintées, James regarda son portable. C'était bien un SMS d'Eden. Il ne répondit pas, car il aurait écrit qu'elle avait raison de se faire de la bile.

Le 4x4 de Bakker ressemblait à un énorme scarabée. Il filait sur Santa Monica Boulevard, entrant dans Beverly Hills, ghetto aux villas appartenant aux plus célèbres actrices et acteurs de la planète. La ligne blanche au milieu de l'asphalte guidait James vers le lieu de sa naissance et celui de la mort violente de sa mère. Les palmiers paraissaient plus gros qu'ailleurs. Tout paraissait plus gros. Même la lune semblait plus imposante au-dessus de Rodeo Drive. La voiture stoppa devant le 77 Trenton Drive. La rue formait une sorte de demi-cercle. Elle se trouvait à la lisière d'une immense forêt. C'était calme. Ça ne l'avait pas toujours été. La villa aux tuiles orange existait toujours. Elle était la seule de Beverly Hills à ressembler à une hacienda. Le palmier au milieu de la cour se portait bien. Un détail irrita James quand il baissa la vitre teintée. La plaque portant le nom que lui avait donné Eva Lopès n'existait plus. Elle l'avait baptisée « Félicita ». À la place, il ne restait qu'une trace rectangulaire aux liserés noirs, une sorte de faire-part ineffaçable. Un remords. L'imposante propriété brillait sous la clarté lunaire.

« C'est là que mother est morte, dit James, en allumant la première cigarette de la soirée. Je m'étais juré de ne plus revenir ici, ni même dans la région, sur ces quelques kilomètres carrés où j'ai perdu ma mère et ma fille. Le périmètre de ma tragédie personnelle. Pour ma petite Jane, poursuivit James, la voix déformée par l'émotion, j'étais arrivé à accepter l'inacceptable. Je savais que ma vie serait désaccordée par la tristesse. Mais je m'étais résigné. Pour ma mère, c'est différent. Je ne comprends toujours pas pourquoi elle s'est suicidée avec son enfant dans le ventre. Il y a quelque chose qui résiste à la raison. Je sais qu'elle a tout écrit dans ce troisième cahier. Elle n'était pas folle, seulement excentrique et fragilisée par un métier de dingue. Mais elle n'était pas folle, tu entends, Roby ? Alors fais-le pour moi, parle. »

Le Santa Ana, vent du désert de Mojave, giflait son visage fatigué. Ça ajoutait à la mélancolie de la scène. Les deux hommes descendirent du 4x4. Bakker était imposant sous la lumière des réverbères, le flingue sous sa veste. Le fils d'Eva Lopès et de Pet Kat semblait tout ratatiné. Il écrasa sa cigarette contre le portail blanc.

— Je ne connais pas le contenu de ce cahier, dit Robin.

— Tu pourrais le consulter, rétorqua James.

— Merde ! fit Robin. Tu comprends pas ! Je peux pas tout ! Je te préviens simplement qu'un fouille-merde va sûrement te contacter. Après, oublie. Tu lui raconteras ce que tu veux. Il te dira peut-être ce qu'il a trouvé, ainsi tu seras tranquille.

— Tu crois que je vais gober ça, répondit James, moi, qui écris des scénarios depuis l'âge de vingt ans. Tu te fous de ma gueule ! Le FBI a une partie du journal intime de ma mère qui s'est suicidée, ici, dans cette chambre au premier étage, parmi les tubéreuses et les gardénias, dans son pyjama de soie bleu acier offert par…

— Par qui ? interrompit Robin.

— Par mon père ! hurla James à la gueule de son vieux copain. Parce qu'il l'aimait ! Même si elle le cocufiait avec tout Hollywood, même si elle baisait comme une malade, même si elle buvait, s'excitait avec la coke, se calmait au Séconal, même malgré tout ça, il l'aimait ! Il était là, toujours, c'était son ange gardien. D'ailleurs il était là le 24 décembre. Il a tenté de la sauver, de nous sauver. C'est lui qui l'a prise dans ses bras et conduite au Cedars-Sinaï. C'est lui ! C'est lui ! Tu entends !

James se laissa tomber le long du mur de l'hacienda. Il ne parvenait pas à reprendre son souffle. Ses côtes lui faisaient mal. Il avait oublié les coups reçus par l'assassin d'Adam Tolédano. Bakker s'assit à côté de lui sans dire un mot. C'est à ce moment-là qu'une voiture de police s'arrêta devant eux. James avait envie de vomir son chili. Il tenta de se retenir le temps que Bakker maîtrise la situation. Deux policiers descendirent de l'auto, l'un posa la main sur son arme de service, tandis que le deuxième alluma sa torche, aveuglant James et Bakker. Ce dernier se releva sans faire de gestes brusques. Il dit qu'il était du FBI, qu'il allait le prouver en montrant sa plaque. Les policiers, d'abord méfiants, acceptèrent. « Il faudrait calmer votre ami, dit le policier à la torche. Des voisins nous ont alertés. Si vous voulez, on peut le conduire à l'hôpital, il semble souffrir du ventre. Agent spécial en plus, ajouta-t-il. Désolé. On ne fait que notre boulot. Et le monsieur qui vous accompagne ? » James extirpa son passeport de la poche intérieure de sa veste fripée et le tendit d'une main tremblante. « James Felipe Katenberg, énonça le policier. Ce nom me dit quelque chose. Il n'y a pas eu un Katenberg acteur ? Un mec hyper baraqué ? » James fit signe que oui. Puis il demanda le nom du propriétaire de la villa devant laquelle il était tombé. Le deuxième policier, qui n'avait pas encore ouvert la bouche, lui apprit que c'était un producteur de films et de DVD pornos. Il n'en dit pas plus.

Une fois la patrouille de police partie, James vomit contre un sycomore. Exactement comme Eva Lopès, ce funeste 24 décembre 1962, dans son immense baignoire en onyx noir.

La légende hollywoodienne affirme qu'elle avait allumé une centaine de bougies autour d'elle.

Robin tendit à James un mouchoir en papier, et l'aida à remonter dans le 4x4. Il était contrarié, car le policier avait relevé son nom et celui de James. Il ferait sûrement un rapport, indiquant le lieu où les deux hommes avaient été contrôlés, ce qui entraînerait une convocation de sa hiérarchie.

Peut-être tournait-il parano. Mais un parano, au fond, n'est-ce pas un type qui a pris conscience de la réalité ?

15

S'ils n'avaient été rasés par la spéculation et le développement monstrueux du trafic automobile, James et Robin auraient fini au Schwab's ou au Pandora'Box. Mais le vieil Hollywood avait été sacrifié sur l'autel du profit immobilier. Les immeubles en verre et acier avaient remplacé les pavillons aux toits en tuiles, murs en stuc et jardins proprets.

James tremblait sur le siège passager. Robin lui tendit un chewing-gum mentholé pour masquer l'odeur de son haleine. Le 4x4 passa devant l'imposant ballon lumineux d'une station d'essence 76 Union qui semblait guider les conducteurs comme les phares guident les capitaines au long cours. Santa Monica Beach n'était plus très loin. James avait exigé de voir l'océan. Robin avait bougonné, puis cédé. Son pote l'inquiétait.

Arrivé à destination, James sortit du véhicule et marcha lentement vers la plage. Bakker s'était garé un peu à l'écart pour ne pas attirer l'attention. James retira ses chaussures et ses chaussettes. Ses pieds foulèrent le sable frais. Il respira un grand coup de cet air plein d'iode qui lui rappelait la mort de Jane. Il fit des pas plus grands, tenta de courir, mais les douleurs thoraciques se réveillèrent. Il ralentit, marchant au rythme imposé par son corps endolori en direction du ressac. Bakker restait à distance. Il regardait James se diriger vers les flots furieux. Les nuages oblitéraient une partie de la lune. Bakker releva le col de sa veste. Il commençait à en avoir marre de cette soirée interminable. Puis soudain James courut en hurlant jusqu'au bord de l'océan. Il se jeta dans les vagues avant que l'agent du FBI ait eu le temps de le rejoindre. « Putain ! s'écria Bakker, fais pas le con. James ! James ! » Il vit la tête de son copain, une fois, deux fois, puis plus rien. Alors qu'il enlevait sa veste, il la revit entre deux vagues aux reflets métalliques. Il se débarrassa de son pantalon tant bien que mal, et retira son holster à regret. Si un curieux lui piquait son arme de service, il était dans la merde. Il plongea dans une vague plus grosse que les autres. Il disparut à son tour.

Dix minutes plus tard, les deux hommes étaient assis sur le sable sec. On ne savait pas si James pleurait ou si des gouttes salées coulaient sur ses joues creusées. Bakker était en boxer, torse nu, muscles saillants. Une bête brute.

— Je pensais pas que tu me retrouverais, fit James, dépité. Moi, j'ai pas pu sauver ma petite Jane. Même mon suicide, je l'ai raté. Tu es trop entraîné, Roby. Tu m'as sorti de l'océan comme les médecins m'ont sorti du ventre de ma mère. Ça a dû être un sacré carnage. Pratiquer une césarienne sur une morte. Les mains qui m'ont extirpé du sang, du placenta et des viscères. Tu imagines le bordel. J'avais déjà des somnifères, des tranquillisants et du bourbon dans les veines avant même de naître. Pas anormal que je sois complètement timbré…

— Oui, coupa Bakker. Tu es un mec irresponsable. Pourquoi chercher à te noyer alors que je suis avec toi ? J'ai été affecté à la protection de Clinton, je te rappelle.

Sa poitrine avait des traces de sel, se soulevant régulièrement, comme s'il ne s'était rien passé. L'agent spécial se leva, évita de justesse une seringue de camé, passa son pantalon tout tire-bouchonné, remit son holster à même la peau, enfila sa veste de costume. James restait assis. Il regardait les rouleaux auxquels il avait échappé, à cette mort qui ne voulait pas de lui. Il écoutait le vacarme effrayant de l'océan, cette masse d'eau jamais immobile. Il venait de comprendre pourquoi il avait choisi de vivre au milieu du désert. Sa vie était un oxymore.

On ne se console pas avec une figure de style.

— Tu sais, dit-il à Bakker, toutes les eaux ont la couleur de la noyade.

— Garde tes phrases ronflantes pour les spectateurs, rétorqua son pote. Habille-toi. Je te ramène à l'hôtel. L'aube va se lever. Ce n'est pas bon qu'on nous voie comme ça.

Arrivé au 4x4, Bakker se dit qu'il avait eu de la chance de sauver James. Certes, il trouvait attachant ce déséquilibré chronique, mais il était surtout payé pour veiller sur lui.

Le ballon publicitaire de la station-service était toujours allumé. La circulation devenait plus dense, le jour pointait au bout de la route. La ronde infernale reprenait. Bientôt un soleil sauvage éclairerait cette hystérie collective.

— J'ai une question à te poser, dit James, recroquevillé dans la couverture de survie prêtée par Robin.

— Encore ! s'exclama l'agent du FBI. Tu ne peux pas dormir un peu.

Puis il sourit en le voyant dans son emballage or. Il ressemblait à un cadeau de Noël. « Pourquoi le FBI s'intéresse-t-il à Eva Lopès ? » demanda James. Il avait déjà posé cette question. Il voulait une réponse avant d'arriver à l'hôtel.

— Écoute, fit Bakker, je crois qu'il vaut mieux oublier tout ça. C'est le passé. C'est très mauvais de planter un bâton dans la vase.

— Ça ne me convient pas, répondit James, en regardant le soleil qui s'élevait derrière les tours de la gigantesque ville.

— C'est le pyjama bleu qui est la clé de tout, lâcha Bakker. C'est pas ton père qui l'a offert. Et si je ne sais pas ce que contient le cahier, je connais en revanche l'identité du type qui a offert le pyjama.

James attendait le nom, les lèvres pincées, le cœur battant à tout rompre. « Je ne te le livrerai pas, conclut Bakker. C'est impossible. Conversation terminée. »

James avait compris qu'il ne saurait rien. Il resterait avec ce mystère, cette piste du pyjama de soie bleue que portait Eva

Lopès le soir de son suicide, cet indice laissé aux vivants pour les emmerder jusqu'à la résolution de l'énigme. Si toutefois elle était résolue un jour.

Le 4x4 se gara devant le Hollywood Panorama. James, dans sa couverture de survie, fit une entrée remarquée. Le réceptionniste faillit le flanquer dehors. Après une brève explication, il prit sa clé et demanda qu'on ne le dérange sous aucun prétexte. Il avait besoin de dormir quelques heures.

Avant de se quitter, Bakker lui avait dit : « *Give it up.* » James avait haussé les épaules. Il avait ajouté qu'il allait entrer en contact avec le biographe enquêteur et qu'à eux deux, ils découvriraient la vérité. Bakker était resté muet. Il savait que James le ferait.

Allongé sur son lit, nu comme un ver, James souffla sur son smartphone pour ôter les grains de sable. Il écouta le message d'Eden. Elle était morte de peur. Elle hurlait qu'elle le détestait, l'insultait en guise de conclusion. James s'endormit en entendant ce cri d'amour.

*

Plusieurs coups de feu retentirent. Elle portait une robe à fleurs, des marguerites au cœur d'or, elle avait ses cheveux tirés en arrière, lisses, son regard exprimait la violence d'une femme trahie. Elle descendait un escalier, tirait avec un revolver qui brillait sous les rayons du soleil entrant par les fenêtres ouvertes. L'intérieur de la maison ressemblait à celui d'une hacienda, avec des arbustes et des plantes vertes partout. Elle tirait, on entendait une voix d'homme, un peu haut perchée, qui la traitait de folle. Dans le hall, elle s'arrêta et dit : « Disparais pour toujours, ou je te tue. » Elle avait pris l'intonation des femmes du Sud. Il fallait la croire sur parole. Le type se tenait près de l'immense porte d'entrée, droit comme un *i*. Il refusait de sortir. Il avait un visage ovale, les cheveux courts, avec une sorte de houppette sur le haut du crâne, des yeux intelligents et tristes. Il avait le sourire énergique. Mais c'était un sourire de façade, un sourire pour cacher sa peur. Il savait qu'elle était capable de lui loger une balle en pleine tête. Elle visa, le coup partit alors que l'homme d'assez grande taille se jetait au sol et tombait lourdement.

James se réveilla en sueur. Il était toujours nu sur son lit. La climatisation ne fonctionnait pas. Il faisait une chaleur à crever. Il avait rêvé une scène incroyable, où sa mère tirait sur un inconnu. Ce n'était pas son père, il en était sûr. Eva Lopès avait pourtant tiré sur lui un soir où elle avait abusé de l'alcool. Elle croyait qu'il l'avait trompée avec Molly, la maquilleuse du film qu'il achevait. Elle était d'une jalousie terrible et lui refusait ce qu'elle ne s'interdisait pas. C'était à prendre ou à laisser.

C'était la volcanique Eva Lopès.

Cette histoire avait été rapportée par les journaux de l'époque. Elle avait renforcé la déjà très sulfureuse réputation de l'actrice mexicaine. Elle, ça ne la gênait pas, au contraire. Tout ce qui ne tue pas rend plus fort, aimait-elle à dire aux journalistes, citant même l'auteur de cette maxime, Nietzsche, l'écrivant s'il le fallait, car elle avait étudié la philosophie et possédait un QI élevé. À propos du revolver couleur silver, elle avait dit que c'était un cadeau de Charlton Heston, sur le tournage de *La Soif du mal*.

Ce qui troublait James, c'était l'homme sur lequel tirait sa mère dans son rêve. Il le connaissait, mais n'aurait pas su mettre un nom sur ce visage de fils de bonne famille.

16

Deux paons picoraient sur les trottoirs. La chaleur ne semblait pas les accabler. Le soleil tapait dur malgré la présence des nuages. Le vent secouait les palmiers hirsutes. James était devant la tombe de sa mère : un rectangle de marbre noir qui rappelait la baignoire où elle s'était suicidée. De très mauvais goût, avait pensé James quand il l'avait vue pour la première fois. Elle était recouverte d'une multitude d'objets déposés par les fans de l'actrice. Ça allait d'un caleçon à une robe bleue, en passant par un bâton de rouge à lèvres. De vieux spectateurs qui fantasmaient sur elle, des lesbiennes folles de son regard, des gays à la recherche d'une mère, de tout et de n'importe quoi. Les stars, on les vénère pour leur part maudite, celle qui leur a permis d'avoir leur étoile sur le Walk of Fame. C'étaient les lettres blanches plantées sur le mont Lee qui avaient créé et tué Eva Lopès, star renommée aux ailes sectionnées, ces lettres composant le mot Hollywood.

Il y avait également des tubéreuses en fleurs. James se dit que la personne qui les avait déposées la connaissait bien.

Il jeta un coup d'œil à sa montre. Il était temps de rentrer à Tucson. Le fils regarda une dernière fois la tombe. Il fit le point. Le cahier noir était en possession du FBI. Il ignorait pourquoi. Le pyjama bleu avait été offert par un homme dont il ne connaissait pas l'identité. Il ignorait aussi le motif exact du suicide de mother. Il devenait même légitime de douter qu'elle se fût suicidée. Un biographe écrivait sur elle, cherchant la vérité, et peut-être le scandale, les deux pouvant être liés.

Il ferma les yeux pour se recueillir pleinement. C'est alors qu'une image du rêve revint à son esprit, avec un détail qui lui avait échappé. Le ventre de sa mère s'était arrondi. Elle était enceinte.

Au même moment, il entendit son prénom. Il se retourna. Cheveux noirs tombant sur des épaules dénudées. Taille gracile dans une robe légère, rehaussée par des chaussures à talons aiguilles. Bien qu'il ne l'ait pas vu depuis plusieurs années, il la reconnut immédiatement. Joanna Went, sa psy. « Mais que fais-tu là ? Tu m'espionnes ? », dit-il, surpris. De larges lunettes de soleil cachaient son regard. Elle avait mis un rouge à lèvres couleur prune, la petite touche parfaite qui la rendait vraiment sexy. « Bien, tu ne m'as pas oubliée ! » lança Joanna. « L'ex-pulsion », ajouta-t-elle, droite sur ses talons aiguilles. Son seul défaut, c'était de s'exprimer un peu comme Daffy Duck. James se souvenait avoir eu du mal parfois à ne pas rire quand elle parlait assise derrière son dos. « Oui, oui, Joanna, répondit James. Tu as failli bousiller ma veine créatrice. Je ne pouvais plus écrire, je me posais des questions sans réponse. C'était chiant. » Elle sourit en lui disant qu'il avait toujours été excessif. « Mais je vois que tu as fait des progrès, souligna-t-elle. Tu ne culpabilises plus. Ou moins. Avant, tu ne m'aurais jamais rendu responsable de ta, comment dire… panne romanesque. Asseyons-nous quelques instants sur le banc, à l'ombre. Il fait si chaud. » Par politesse, James ne regarda pas l'heure sur l'écran de son smartphone. Mais il devait vite sauter dans un taxi s'il ne voulait pas rater son avion.

Assis côte à côte, Joanna et James ressemblaient à un couple venu se recueillir sur la tombe d'un parent. La robe de la psy était très courte et découvrait une partie de ses cuisses bronzées. James attendit qu'elle dise ce qu'elle faisait ici, au même moment que lui. Car il ne croyait pas au hasard. James ôta ses lunettes de soleil et soupira.

— Alors, comme d'habitude avec toi, je commence, dit-il. Comment savais-tu que j'étais à Los Angeles ?

L'épaule de Joanna frôla celle de James.

— Tu aimes ma robe Tuleh ?

— Ouais. Le noir te va bien. Tu as toujours été ravissante et chiante.

— J'aurais dit ravissante mais chiante, rétorqua Joanna. Mais ta formulation est plus originale. Tu vois, tu seras toujours romancier.

— Scénariste, précisa James.

La chaleur sous le conifère semblait supportable alors que le fond de l'air était en réalité toujours aussi chaud. La chevelure de Joanna exhalait un parfum subtil, avec une note de miel très prononcée. Elle prit la main de James. De petites veines gonflaient sa peau cuivrée.

— J'ai toujours aimé tes doigts. Tu as dû hériter de ceux de ta mère qui jouait du piano.

— Tu te souviens de ce détail ?

— Je prenais des notes. Tu ne me parlais que de ta mère. Tu étais un cas intéressant. Classique, certes, mais porté à son paroxysme. Avec davantage de temps, j'aurais pu te libérer de la mort de celle que tu nommes « mother », de son ombre portée qui te hante. Ton autodestruction est sûrement liée à elle. Il aurait fallu résoudre cette question d'identification. Ainsi aurais-tu cessé les drogues et l'alcool, et découvert ton *sunny sun*. Tu continues à te punir, je suppose ?

— Qui t'a dit que j'étais à Los Angeles ? insista James.

— Robin Bakker.

— Tu connais Bakker ! s'écria James, en retirant sa main de celle de Joanna.

— Oui. Je travaille pour le FBI. Grâce à toi, du reste.

Joanna lui expliqua qu'après leur séparation, le FBI l'avait contactée pour récupérer ses notes le concernant. Elle avait tout d'abord refusé, mettant en avant le fameux secret professionnel. Mais très vite, elle avait compris qu'avec l'agence gouvernementale, la partie était perdue d'avance.

Elle pouvait la broyer, elle et le dossier Katenberg. Elle réussit cependant à négocier avec Bakker, pas insensible à son regard charbonneux et à la courbe de ses reins. En échange de ses notes, elle fut embauchée par le FBI. Elle s'occupait plus particulièrement des agents qui avaient dû tuer pendant une opération, ou qui avaient perdu leur partenaire durant une intervention. Elle les aidait à évacuer le PTSD, *the post traumatic stress disorder.*

— Bakker est un drôle de type, confia Joanna tout en posant sa main sur la cuisse de son amant éphémère.

— Qu'entends-tu par là ? demanda James.

Elle lui répondit qu'il ignorait la frontière entre le bien et le mal. Il n'avait aucun état d'âme. Il obéissait. S'il fallait éliminer une cible, il le faisait. Il n'avait jamais manifesté la moindre hésitation, esquissé le moindre remords. Il était assez effrayant. Elle finit par avouer qu'elle avait couché avec lui. « C'est un type très doux avec les femmes », précisa-t-elle, en griffant légèrement le pantalon de James. Ses ongles étaient longs et carmins. « On a baisé régulièrement pendant un an, ajouta-t-elle. Et après, c'est devenu compliqué pour lui. On lui a confié des missions très dangereuses. Il a décidé de prendre du champ. Dommage... »

James avait toujours apprécié que Joanna utilise des mots vulgaires, surtout pendant une séance. Ça l'excitait.

— Tu ne t'es jamais demandé pourquoi le FBI me surveillait ? dit James.

— Je dirais plutôt, te protégeait, précisa Joanna. Et te protège toujours. Contre quoi ? Je l'ignore. Mais sûrement en rapport avec ta mère. Bakker, en effet, m'avait demandé si je connaissais les motifs de son suicide…

— Et ? coupa James.

— Tu as stoppé trop tôt les séances, *darling*.

— Quand on a fini par baiser, c'était mort.

— Tu as vraiment un côté vieux jeu ! Pour un scénariste de la côte ouest ! Je crois surtout que tu craignais ce que nous allions découvrir.

— N'importe quoi, fit James. Tu te prends pour Bakker !

— Tu mélanges tout, *darling*, répliqua Joanna, en croisant les jambes. Bakker connaît la vérité à ton sujet. Une vérité qui met ta vie en péril. En revanche, moi, je te proposais de découvrir celle qui est en toi. Elle t'aurait libéré. Mais tu as fui.

— Tu n'as pas tenu ta place, s'irrita James. Il aurait fallu que tu me repousses vigoureusement. D'une certaine façon, tu m'as trahi. Tu m'as abandonné en route.

— C'était justement le thème que nous traitions quand tu as décidé de ne plus venir. L'abandon. Ta mère qui t'a abandonné en voulant te supprimer avec elle. Et ton ex-femme, Frances, si j'ai bonne mémoire, qui a abandonné quelques minutes votre fille aux flots de l'océan.

Elle se tut, puis ajouta : « Tu vois, je viens parfois ici pour déposer sur la tombe de ta mère une tubéreuse, sa fleur préférée, comme tu me l'avais confié. »

James fut étonné par cette confidence. Son visage se détendit soudain. Car ce qu'il avait entendu juste avant l'avait pas mal irrité.

— Tu me guettais, lança James.

— Non, je venais d'arriver, répondit Joanna. C'est un coup de chance. Je ne reste jamais longtemps. J'ai un emploi du temps chargé. Mon cabinet est l'un des plus prisés. Je refuse beaucoup de patients.

— J'ai un avion à prendre, dit James, en se levant.

Joanna le prit par le bras et l'entraîna vers la tombe d'Eva Lopès. Ses talons aiguilles la rendaient presque aussi grande que le scénariste. Sa démarche était hésitante sur les pavés disjoints. Elle s'agrippa à lui et l'embrassa dans le cou, furtivement. « Appelle-moi, quand tu reviens à Los Angeles. On dînera ensemble. » James ne répondit pas. Il se dégagea de son emprise et se dirigea d'un pas rapide vers la sortie. Il remit ses lunettes de soleil. C'est alors qu'il pensa qu'elle n'avait pas ôté les siennes et qu'il n'avait pu voir ses yeux noirs.

*

À l'aéroport LAX, avant le décollage pour Tucson, James téléphona à Eden. Elle arrosait le potager en compagnie de Gus. Elle l'engueula, lui reprochant de ne pas avoir donné de nouvelles depuis son départ.

— Je t'expliquerai, dit-il, la voix épuisée.

— T'es vraiment qu'un minable ! hurla-t-elle. On peut crever, Gus et moi, tu n'es qu'un…

James coupa net la communication. Il ne supportait plus la violence. Sa tête était sur le point d'exploser. Son cœur n'arrivait plus à irriguer ce corps à la limite de la défaillance. Il rangea son sac entre ses jambes et se rencogna dans le siège inconfortable. Le portable vibra. C'était Eden qui rappelait. Elle laissa un message que James n'écouta qu'une fois arrivé à Tucson. « Tu peux raccrocher ! hurla-t-elle. Je vais quand même finir ma phrase et te dire que t'es un fils de pute ! T'aurais pu envoyer un SMS, un smiley, enfin quelque chose. Non, le silence total. OK, je suis une conne de penser que tu m'aimes alors que tu n'aimes que toi, et ta mère, la mythique Eva Lopès ! Fuck mother ! Un jour, tu m'as baratinée en me disant que la grande actrice, c'était celle qui vampirisait la scène, que les autres, ils existaient plus. Tu parlais de ta mère, toujours ta mère. Elle t'a vampirisé la tête… »

La messagerie avait coupé. Eden avait rappelé, elle avait encore parlé. James écouta le deuxième message dans sa Plymouth, sur la route d'Oro Valley. « J'ai pas fini, dit Eden, moins véhémente, mais plus déterminée. Je me tire, James-le-scénariste-à-sa-mère-célèbre, je me casse, retour en Europe. Gus m'emmène à l'aéroport. Bye, connard. »

Eden avait laissé un troisième message que James n'avait pas écouté. Il s'en foutait. Elle pouvait se tirer. Le pire, c'est qu'elle n'avait pas d'argent sur son compte, pas de liquide, et qu'elle devait l'attendre en pleurnichant.

À la périphérie d'Oro Valley, James acheta une cartouche de cigarettes dans un grand magasin encore ouvert. La caissière lui demanda une pièce d'identité, non parce que sa mine était inquiétante, mais parce que c'était l'usage. Puis il reprit le chemin du ranch. Sur la route à deux voies, cernée par le désert, il décida de doubler un camion qui l'oppressait, il appuya un coup sec sur l'accélérateur, la boîte automatique rétrograda, faisant rugir le puissant V8. Il continua à accélérer une fois le camion passé. La voiture ondulait un peu. Une impression agréable l'envahit. Il se sentait moins angoissé. La Plymouth reprit la file de droite, ondulant toujours de l'arrière, l'aiguille du compteur indiquait 90 miles, alors que la vitesse était limitée à 50. Les montagnes de Santa Catilina se découpaient sur le ciel mauve. James réduisit sa vitesse, profitant du décor naturel. Si le shérif avait été sur la route, il l'aurait arrêté sans hésiter. James se dit qu'il aurait sorti le revolver se trouvant dans la boîte à gants et qu'il aurait tiré sur l'homme de loi. Dans ces moments-là, c'est-à-dire quand il était à peu près bien, James ne supportait pas qu'on vienne le faire chier. Il poursuivit dans la paix que la fin du jour offrait.

James alluma une cigarette, le vent soulevait la poussière du désert, il sentait l'air chaud sur son visage, ayant baissé totalement la vitre. C'était ça, la liberté.

Il se souvint alors d'une séance avec Joanna Went, la dernière en fait. Il transpirait. La clim ne fonctionnait pas. Il sentait son parfum si particulier derrière lui, à la fois vanillé et poivré. Elle portait ce jour-là un jean troué aux genoux et un chemisier largement ouvert. Elle avait des Converse rouges. Encore une fois, il avait imaginé qu'elle se masturbait en écoutant ses éternelles divagations sur mother. C'était son truc depuis le début : elle se touchait quand il parlait de sa mère. Il n'en démordait pas. Avant la fameuse séance, il s'était fait un rail de coke. Il avait replongé après la mort de Jane, sa fille. Allongé sur le divan, il avait cru entendre la respiration rapide de Joanna. Il avait alors pensé que ses doigts, après avoir déboutonné le jean, caressaient son sexe sous la culotte. Dans la grande pièce, aux murs blancs, se répandait la musique de Berg. Elle la mettait à chaque séance, heureusement en sourdine. Il avait reconnu un lancinant passage de *To the Memory of an Angel*. À la fin des quarante minutes, au moment de la payer en liquide, il l'avait embrassée sur la bouche. Elle n'avait pas reculé, au contraire. Il avait passé la main dans ses cheveux, remontant le long de la nuque. Il en mourait d'envie. Puis Joanna l'avait déshabillé entièrement. Puis elle s'était déshabillée à son tour. Et ils avaient roulé sur le tapis, nus. Il l'avait mordue aux épaules, respirant enfin sa peau bronzée. Il était entré en elle sans effort. Ce fut la seule fois qu'ils firent l'amour. Son sexe était doux.

James avait l'image de Joanna nue dans la tête quand, soudain, dans le rétroviseur vissé sur le tableau de bord, il vit surgir une grosse voiture noire, un peu comme celle de Bakker. Elle se rapprocha, restant toutefois à distance. Il prit son portable pour appeler Gus.

— Allo, je suis sur la route d'Oracle, fit James.

— OK patron, je commençais à baliser, répondit Gus.

James lui annonça qu'il était probablement pris en chasse par une voiture et qu'il allait pousser jusqu'à la mine désaffectée. « Oh, ça sent mauvais, grogna Gus. Patron, vous voulez que je vous rejoigne ? » James lui dit de se tenir prêt.

La voiture noire le suivait encore. James écrasa sa cigarette dans le cendrier, ouvrit la boîte à gants, prit le revolver, s'assura qu'il était chargé. On voulait l'éliminer, il en était persuadé. De toute façon, l'affaire semblait limpide. Il avait eu le temps de gamberger dans l'avion. Il était au cœur d'une affaire d'État, il devait donc être éliminé. Jusqu'alors, il ne savait rien, ça le protégeait. Sa seule chance était de prendre de vitesse ses futurs assassins, de découvrir le secret dans lequel il était impliqué, de le révéler afin de sauver sa peau.

Le scénariste était convaincu que le problème, c'était lui, et non sa mère.

La berline le filait toujours. James vit le ranch Tanque Verde. Il passa devant, ralentit, la berline ralentit à son tour, il accéléra sèchement, les roues arrière de la Plymouth mordant sur le bas-côté. Un nuage de poussière obscurcit la route.

James continua à rouler en dehors du bitume, poussant le V8 à la limite du raisonnable.

S'il allait jusqu'à la mine désaffectée, il serait tenté de buter les types qui le poursuivaient. Peut-être atteindrait-il le point de non-retour. Bakker ne pourrait plus rien pour lui, surtout s'ils avaient buté des agents fédéraux. Il profita de la poussière pour tourner à droite et prendre le chemin de la ferme de Scott Perry, un redneck sous méth. Il immobilisa brutalement la Plymouth derrière un rocher. Il tendit l'oreille, entendit le puissant moteur du véhicule noir sur la route. C'était une grosse cylindrée, la même que celles utilisées par le FBI. Cette probable similitude fit battre son cœur plus vite. Il fixa le revolver posé sur le siège du passager. Le rocher ne devait pas complètement cacher la Plymouth. Il devait se préparer à faire feu dans le cas où le véhicule stopperait. L'effet de surprise jouerait en sa faveur.

Il était prêt à tuer, il l'avait déjà prouvé.

Le moteur de la grosse bagnole s'éloignait. James respira un grand coup. Il alluma une cigarette. Le danger semblait écarté. Peut-être devenait-il parano. Peut-être pas. Mais il n'était pas loin de penser comme Bakker : un parano est un type qui a pris conscience de la réalité.

James fuma sa cigarette, guettant le moindre bruit de moteur. Il rappela Gus. « OK, dit ce dernier, je vous attends patron. Oui, oui, Eden est à la maison. Elle panse la jument. »

Le crépuscule tombait sur le paysage comme le rideau à la fin de la scène finale. La Plymouth avança jusqu'à l'entrée de la ferme de Scott Perry, et fit demi-tour. Un chien aboya. James n'alluma pas les phares. Il roula prudemment sur le chemin en tentant d'éviter les pierres. Puis il reprit la route d'Oracle, feux toujours éteints. Il sentit un réel soulagement quand il vit les lumières de Tanque Verde.

17

Depuis que James était rentré de Los Angeles, il ne s'était rien passé. C'est un peu le principe du désert, ça ne bouge pas des masses, se plaisait à dire Gus. L'automne s'installait, ce qui ne changeait pas grand-chose. Les températures descendaient lentement, mais le t-shirt restait de mise. Quelques plantes jaunissaient tout au plus. Le fameux été indien n'existait pas. Pour profiter du spectacle, car c'était un spectacle, il fallait aller sur la côte est. Rien à voir donc avec le climat européen. Là-bas, l'automne annonçait l'humidité, la grisaille, le cafard surtout. Pas en Arizona. Le soleil était de la partie, la lumière interdisait la neurasthénie.

Eden était calme. Elle voyait que James travaillait à son scénario et qu'il était également préoccupé. Elle ne le provoquait pas. Gus lui avait conseillé de rester un peu en sommeil, selon sa propre expression. La situation n'était pas claire, il le sentait confusément. Même s'il ne croyait pas que des agents fédéraux viennent buter son patron, il y avait un mystère à lever. Tant qu'il ne le serait pas, James courait un réel danger.

Mc Coy appelait régulièrement le scénariste. Quand il ne l'avait pas en direct, il laissait un message, parfois envoyait un SMS, même très tard – il savait que James écrivait la nuit. Il voulait s'assurer qu'il n'était pas en panne d'inspiration, car Aaron Zaccaria était prêt à investir massivement dans la série. Le scénariste lui avait fait grosse impression.

Un soir, Eden s'assit près de lui. Elle posa sa tête contre son épaule.

— Tu m'en veux toujours de t'avoir traité de connard ?

— Et de fils de pute, ajouta-t-il. C'est ça qui passe difficilement, ma grande. Surtout après les événements que je viens de vivre.

Eden lui avoua qu'elle était au courant. « Gus, je suppose, a-t-il répondu. Il t'a tout raconté. Tu aurais pu me demander, à moi. Je ne suis pas un chien. J'ai failli crever. Ça, Gus ne le sait pas. » James lui raconta alors la noyade évitée de justesse grâce à Bakker. Il lui dit aussi qu'il était allé se recueillir sur la tombe de sa mère, où avaient été déposées des tubéreuses en fleurs. Mais il se garda bien de parler de Joanna Went. Eden lui avoua que, durant son absence, elle avait regardé trois films dans lesquels jouait Eva Lopès. « C'est impossible, fit James. J'avais posé un cadenas sur la trappe du home cinéma. » Eden sourit. Elle lui mordilla la peau du cou.

— Tu sais qu'il existe internet. J'ai juste demandé à Gus son Amex pour pouvoir m'abonner.

— Et tu l'as trouvé comment ? a demandé James.

— Très belle, très naturelle, a répondu Eden qui lui donna les titres des trois films.

James dit qu'elle avait reçu le Golden Globe de la meilleure actrice pour le troisième film qui datait de 1960. « Elle a été extraordinaire quand elle est venue chercher sa récompense, a-t-il précisé. Elle a expliqué comment elle avait obtenu cette distinction, la seule de sa carrière du reste. Elle a dit qu'elle était un théorème. Les réalisateurs n'avaient qu'à la faire tourner. Elle savait tout faire, chanter, danser, pleurer, rire, aimer. Elle a continué, les yeux pleins de malice : "Un théorème s'applique pour résoudre les problèmes posés. Je suis un théorème. Je joue ce que vous me demandez de jouer. Tout ce que vous voulez, je peux le jouer. Par amour pour vous, dit-elle encore en tendant les mains ouvertes à la salle conquise." Puis, avant de quitter la scène, elle conclut par ces mots : "C'est Dieu mon unique source d'inspiration. » James connaissait la déclaration par cœur. « La seule chose que je ne sais pas, a-t-il précisé, c'est si ce discours était improvisé ou pas. »

Eva Lopès reçut une standing ovation. Elle séduisait autant par son physique que par ses réparties fulgurantes. « Ce soir-là, elle portait une fine robe noire, assez courte, et toute simple, précisa James. J'ai pu la racheter lors d'une vente aux enchères. Elle est dans la penderie du home cinéma. »

Une robe entre deuil et nuit.

En se remémorant les paroles de sa mère, il acquit la certitude qu'une femme aussi croyante ne s'était suicidée que submergée par une crise de désespoir. « Ou par le déshonneur », murmura-t-il pour ne pas être entendu d'Eden.

Une nuit, il était plus de deux heures du matin, Eden entra dans le bureau de James. Il écrivait, une bouteille de bourbon près de l'ordinateur. « Ça bosse, dit-elle, le regard admiratif. C'est bien. » James sourit, de ce sourire à la fois enfantin et blasé qui n'appartenait qu'à lui.

— J'ai une question à te poser, dit Eden, en s'asseyant sur le coin du bureau.

— Vas-y, répondit-il en finissant son verre.

Les jambes d'Eden gigotaient dans le vide. Elle hésitait à s'exprimer.

— Le nom de l'acteur qui joue le rôle de Santo Mollo, dans *Un crime d'amour*, c'est bien celui qui a flingué sentimentalement ta mère ? demanda-t-elle.

— Ouais, fit James. Ce sale con s'appelait Tony La Scarta. Il est mort alcoolique.

La biographie qu'Eden avait lue ne disait grand-chose sur lui. Il avait au moins vingt ans de plus qu'Eva Lopès, était fils d'Italiens émigrés, avait été l'ami de Sinatra et de Dean Martin. Il avait d'ailleurs permis à Eva de les rencontrer. « On raconte ça, en effet, confirma James. Et que ma mère fréquentait également des membres de la mafia. On raconte beaucoup de choses. La plupart sont fausses. De toute façon, tout le monde s'en fout. Il reste les films de ma mère, point final. Tony La Scarta est retombé dans l'oubli. Eva a aimé cet homme parce qu'il lui rappelait son père, héros de guerre. C'est assez classique. Il suffit de lire les Grecs. Il était beau mec, costaud, viril, avec de petites moustaches noires à la Douglas Fairbanks. Elle croyait qu'il l'épouserait, qu'il lui ferait un enfant et qu'il l'aimerait jusqu'à sa mort. Il l'a laissé tomber au bout d'un an à peine. Elle a sombrée dans la dope et l'alcool. Ça l'a complètement déstabilisée, cet abandon. Elle s'est sentie inutile. Mother a compris que son boulot la condamnait à la solitude totale. Elle est devenue d'une lucidité effrayante. Et comme elle était hyper intelligente, il était impossible qu'elle se réfugie dans le mensonge. Dans une interview, mother dit en substance que le métier d'actrice repose sur les apparences. Les hommes aiment ces apparences et ignorent la femme qui se cache derrière. Or, on ne construit pas une histoire d'amour sur les apparences. On crée un malentendu funeste, sinon. C'est la réponse que tu attendais ? » demanda James. Eden n'avait posé aucune question, mais la réponse lui convenait. Enfin pas tout à fait. « Moi aussi, dit-elle, j'ai besoin d'un homme sur qui je puisse compter, et cet homme, je l'ai trouvé, il est là. » Elle l'embrassa sur la bouche. « J'aime tes cheveux blancs, dit-elle, amoureuse. Tu en as de plus en plus. Ça m'apaise. »

James savait ce qu'elle voulait. Et lui, il n'était pas sûr du tout de vouloir la même chose.

Lorsque Eden quitta la pièce, il vit l'aigle tatoué sur sa peau bronzée, à la limite du shorty. Il eut envie d'elle, mais il se concentra sur le dialogue à finir.

Il repensa toutefois à ce qu'avait dit sa mère, à propos de la notoriété, lors d'une émission radiophonique célèbre. « Elle se mesure aux nombres de gens qui se branlent sur toi », avait-elle lâché en riant. Les ligues catholiques et autres groupes bien-pensants avaient fait exploser le standard. Eva Lopès ne fut jamais réinvitée.

*

Eden s'était levé vers neuf heures. Elle avait préparé le café, fait griller un toast, relu un passage de la bio d'Eva Lopès. Ça concernait son suicide. Elle se demandait ce que le nouveau biographe allait trouver de sensationnel. Gus fit son entrée habituelle, en criant : « Salut beauté de mes derniers jours ! » Eden lui envoya un baiser avec la main.

— Les chevaux vont bien ? demanda-t-elle, avec un large sourire.

— Yes ! répondit le vieux, la voix enrouée. Et le patron, il dort encore ? Eden allait dire oui quand James apparut, le regard terne, les cheveux hirsutes. Il portait un caleçon à rayures et son poitrail était nu comme un boxeur sur le ring. « Café noir, please, dit-il. Où sont les aspirines ? J'ai mal au crâne. » Gus lui tendit le tube, tandis que James regardait la bio de sa mère avec un marque-page indiquant le dernier chapitre.

— La fin va être réécrite sous peu, lança-t-il, irrité. Théo Machin, le fouille-merde, va nous sortir un scoop posthume.

— Tu devrais peut-être pas laisser faire, suggéra Eden.

James se gratta la joue. Sa barbe avait plusieurs jours. Il en avait marre de se raser. « Non, ma petite Eden, il faut attendre. L'immensité du désert nous apprend cela. Regarde-le, immobile, supportant ce putain de soleil qui fend les pierres. Le désert, c'est la tragédie. Le hasard n'existe pas. Ça va arriver, ça va s'imposer. Il suffit d'être patient, de guetter le moindre indice. Ma petite Eden, cette affaire de bio va remonter, comme le corps expulse l'écharde que nous avons sous le pied. Ça concerne la mort de ma mère, donc ça me concerne. Je vais être mis au courant du scoop. Et là, j'agirai, dit-il en avalant ses aspirines. Je ne suis pas comme Bakker, j'ai les épaules arrondies. Je subis. Lui, c'est une armoire à glace. Il est baraqué, il peut foncer. Pas moi. Mais en réalité, c'est ma force. »

Eden s'assit à côté de James. Gus les regardait dans la lumière crue d'une fin d'été qui s'éterniserait, repoussant la loi du calendrier.

— Elle s'est peut-être pas suicidée, avança Eden. On l'a peut-être assassinée.

— Je ne pense pas, dit James. Elle s'est suicidée pour une raison précise. La dépression la rongeait, elle prenait des médocs, buvait du gin et du whisky comme un cosaque, mais il y a une raison précise qui l'a fait basculer.

Gus s'approcha du couple, car à cet instant précis, Eden et James formait un couple. Puis il posa ses grosses mains sur le rebord de la table, et dit : « C'est vous le problème, patron. » James acquiesça. « Mais ce n'est pas aussi simple que ça, ajouta-t-il. Pet Kat n'est sûrement pas mon père. Le nœud de l'énigme est là. »

Eden, médusée, regarda Gus qui ne manifesta aucune émotion. La phrase l'avait refroidie, comme si elle avait mis la tête dans le congélateur de la grange.

« Attendons, dit James, en allumant la première cigarette de la journée. Oui, le désert, c'est la tragédie, répéta-t-il. On a perdu le sens du tragique, ajouta-t-il en soufflant la fumée de sa clope.

Gus sortit en refermant doucement la porte derrière lui. Regardant l'enclos ou gambadaient les chevaux, il murmura : « La tranquillité est finie. » Et il cracha sur le sol pierreux.

18

Après la douche, James décida de quitter Tanque Verde. Il avait sorti cette hypothèse, mais au fond de lui, refusait d'y croire, elle le répugnait. Il aimait Pet Kat. Il l'avait élevé, protégé, offert ce qu'un père peut donner de meilleur à un fils extrait du ventre de sa mère morte. Il avait été admirable. Et James l'admirait.

Il prétexta à Eden le plein d'essence à faire, quelques provisions à acheter, des cigarettes, une bouteille de bourbon, n'importe quoi. Le stetson vissé sur la tête, James quitta le ranch à bord de son pick-up, le visage fermé, la clope au bec, les vitres ouvertes. Eden le vit partir, morte de trouille.

La route était très poussiéreuse. Le décor paraissait plus rude encore, sans aucune couleur tendre. Comme ce que le scénariste vivait. Des vagues d'angoisse, attisées par le vent chaud, contractaient son estomac. Quand le soleil cognait comme ça, toute pensée était impossible. Le visage de Pet Kat ne quittait pas son esprit. Il faillit heurter un coyote qui surgit du fossé. Il donna un coup de volant, le pick-up zigzagua, puis reprit sa trajectoire.

À la sortie d'Oracle, une station-service Circle K. Le pick-up s'immobilisa devant la pompe numéro huit. James descendit. Il ricana quand il s'aperçut qu'un gallon valait 3,39. « Putain ! s'écria-t-il, les Européens s'en sortiront jamais contre nous. Dire qu'ils nous croient incultes alors que c'est nous qui faisons le plus de traductions nouvelles de *L'Iliade* ! » Et il attrapa rageusement le tuyau d'essence.

En sortant de la station, après avoir payé le plein et acheté une bouteille de bourbon à la supérette, il vit la voiture du shérif flanquée de celle du K9, la brigade canine antidrogue. Jim Dukan le salua et s'avança vers lui, les lunettes de soleil cachant son regard de reptile.

— Je suis content de vous voir, dit-il sans presque bouger les lèvres.

— Vous voulez quoi ? demanda James.

Le shérif lui dit que le vieux Adam Tolédano était mort, et que ses assassins présumés avaient été liquidés à leur tour. Il ajouta que le meurtrier était introuvable faute du moindre indice. James écouta sans prononcer un seul mot. « C'étaient probablement des drogués, ajouta Jim Dukan. Un règlement de compte entre eux. Bon débarras. J'ai trop de boulot. Deux flics du K9 me donnent un coup de main, mais ce n'est pas assez. Le trafic de drogue a explosé. Les Mexicains passent la frontière sans problème. Le FBI semble s'en mêler un peu. Deux agents sont arrivés pour constater l'ampleur du trafic. »

Ainsi James eut-il la confirmation que la voiture noire appartenait au FBI. Elle ne l'avait pas prise en chasse, voilà tout. L'un des policiers s'était approché du pick-up. Il tenait en laisse un chien énorme. James ne bougea pas.

— Rassurez-vous, ironisa Dukan, je sais que vous n'êtes pas un camé. En revanche, faites gaffe avec votre amie. On la soupçonne d'être une junkie.

— Vous la soupçonnez, shérif, souligna James.

Dukan avoua qu'elle ne lui avait pas fait bonne impression quand il était passé à son ranch. Elle avait le teint des gens qui ne vivent pas sainement.

— Quant à ses pupilles, ajouta-t-il, même si je suis resté à distance, elles m'ont paru dilatées.

— Oui, vous avez raison de rester à distance, fit James.

Le shérif connaissait la protection dont James bénéficiait, mais il ne désespérait pas de le faire tomber un jour.

— Dites à Gus d'être prudent, balança le shérif. S'il sait où acheter du cannabis, de la MDMA, de la mescaline, etc., nous les connaissons aussi, tous ses petits revendeurs de merde, et les chiens les reniflent vite.

— Gus n'est pas un junkie, dit James en haussant les épaules.

Il allait se diriger vers son véhicule quand le shérif plaça sa main sur son épaule. James se retint pour ne pas lui balancer le coude dans la gueule. « Lui, non », dit tout bas le shérif en baissant légèrement ses lunettes de soleil. Et il fit un clin d'œil. James monta dans le pick-up, mit le moteur en route et, au moment de démarrer, le shérif s'approcha de la vitre baissée. « C'est rare de vous voir en baskets », lâcha-t-il. Pour toute réponse, James appuya sur l'accélérateur.

*

La route défilait devant lui. James n'évaluait plus les distances, ne voyait plus les cactus, les oiseaux dans le ciel, les montagnes au bout de son doigt. Il roulait au milieu du ruban bitumeux, le pick-up vibrait, à la limite de la dislocation. James avait bu la bouteille de bourbon, puis il en avait acheté une autre quelque part sur la route. À présent, il rentrait au ranch. Il dirait à Gus de faire son baluchon, de se tirer. Il prendrait le fusil, il tuerait la jument mustang, il l'abattrait froidement, et peut-être les autres chevaux aussi, les moches et les boiteux qu'on gardait par pitié. Il parlerait à Eden, lui dirait de se tirer aussi, de faire son sac, de lui foutre enfin la paix. Il finirait seul sur sa nappe phréatique de Tanque Verde, seul et peinard, sans connaître la fin de l'histoire. Tout se mélangeait dans son cerveau noyé d'alcool, sa mère, sa mort, le pyjama bleu, Joanna Went bossant pour le FBI, son cocu de père. La route était droite, longue et belle sous le ciel violacé. Il roulait, ivre de tous les mensonges qui avaient capitonné sa vie. Il ne saurait pas.

Le scénariste s'en foutait de résoudre l'énigme.

James descendit du véhicule en titubant. La véranda était éclairée. Une ombre dansait sur elle-même. Il entra et se dirigea vers l'ombre qui riait. Une tête blonde dans une robe noire. C'était Eden dans la robe de mother ! James s'approcha d'elle. « Pourquoi as-tu mis cette robe ? hurla-t-il. Qui t'a permis ça ? » Son haleine empestait l'alcool. Eden prit peur. La joie qu'elle éprouvait depuis quelques heures disparut soudain.

— Je voulais te faire une surprise, bégaya-t-elle. Tu n'avais pas fermé la trappe, et j'ai…

— Ferme-la ! gueula James, les yeux injectés de sang.

Eden ne l'avait jamais vu comme ça. Son visage, malgré le bronzage, était livide. Ses mains tremblaient. « Retire cette robe ou je te frappe », dit-il froidement. Eden la retira, découvrant son corps nu. Elle n'osait pas bouger. James était méconnaissable. Elle se surprit à mettre les deux mains sur sa poitrine. « Tu n'avais pas le droit de faire ça, mettre cette robe, dit-il, la gorge nouée par la colère et l'émotion. Tu es complètement folle. Et quand je pense que c'est Gus qui te fournit en dope. » Et il hurla : « Gus ! Gus ! » James, ne pouvant plus se retenir, se jeta sur Eden, la renversant sur le sol de la véranda. Elle cria si fort que cela tétanisa James. Il était sur elle, son ventre chaud pesant de tout son poids. Des larmes coulaient de ses yeux. « Je t'en prie, dit-elle, d'une voix blanche, je n'ai pas voulu te provoquer. C'est tout le contraire. James… je suis enceinte. » Il roula sur le côté, la libérant immédiatement de son emprise pour ne pas faire de mal au fœtus.

James se redressa comme il put, avec les mains, puis il l'aida à se relever. Il approcha le fauteuil d'osier et partit chercher une couverture pendant qu'elle reprenait son souffle, assise, nue, face à la nuit noire.

Il revint avec la couverture et un verre d'eau. « Bois un peu, murmura-t-il. J'ai trop bu, je suis ridicule. C'est vrai ? Je veux dire que c'est vraiment sûr que tu es enceinte ? » Elle fit oui de la tête. « Gus est allé dans une grande surface me chercher un test, balbutia-t-elle. Je suis enceinte. » James s'agenouilla contre le fauteuil, et caressa délicatement la peau douce des jambes d'Eden.

— Tu sais, poursuivit-elle, quand nous avons baisé sur le mont Lemmon, c'était si fort, si violent, que j'ai compris que tu venais de me faire un bébé. Et puis, j'ai vu une étoile filante passer au-dessus de ta tête…

— Et t'as fait un vœu, coupa James.

Eden dit qu'elle avait vu ça comme un spermatozoïde filant vers sa cible. « C'était un signe, ajouta-t-elle. La nature m'envoyait un message », conclut-elle en cherchant les lèvres du futur père.

C'est alors que James vit derrière la baie vitrée la silhouette imposante de Gus, le fusil à la main. Il se releva, grimaça, les douleurs intercostales s'étaient réveillées. Il fit coulisser la vitre pour permettre à Gus d'entrer. Un souffle chaud envahit l'espace. « Viens, Gus, et pose ce fusil. Il n'y a rien à craindre. J'ai gueulé bêtement. Tu sais, je suis au courant. Eden vient de me révéler qu'elle est enceinte. Ça me fait bizarre. » Gus grogna un truc incompréhensible. Il portait son éternelle salopette. À croire qu'il dormait avec. « On fêtera la nouvelle demain, fit James. Enfin tout à l'heure. J'ai trop picolé. À faire flotter le *Queen Mary*. »

Une heure plus tard, Eden dormait contre James qui repensait à cette journée dingue où il avait voulu virer Gus et tuer ses chevaux. « Le dingue, c'est moi », murmura-t-il. Et il finit par sombrer dans le sommeil, mort de fatigue.

Vers midi, Eden et James prirent leur café ensemble. Ils avaient les traits tirés mais leurs visages exprimaient la sérénité.

— C'est la première fois que je me sens aussi bien, lâcha Eden.

— Faut plus que tu touches à la dope, menaça James. Plus du tout. Je vais en parler à Gus. Il ne doit pas jouer les dealers pour toi.

Eden faillit s'étrangler avec le café. « T'es barré comme mec ! hurla-t-elle. Gus est pas un dealer ! Au contraire, il est allé chez un Indien qu'il connaît et m'a rapporté une plante que je mâche lentement le soir pour me sevrer. Je peux te dire que je suis clean ! Je morfle un peu avec les effets secondaires, mais je tiens le coup. Pour le bébé, toi, nous trois quoi ! »

James se dit que le shérif était une belle ordure et qu'il lui réglerait son compte un jour, d'une manière ou d'une autre. « T'as l'air de ruminer, fit Eden. Encore un blème ? » James lui raconta le mensonge du shérif. « Je vais lui crever les yeux, à ce bâtard ! s'écria-t-elle. Et si tu commences à le croire, toi aussi. On est foutus. Gus est la bonté même, ajouta-t-elle. Je l'aime comme un père. » Le mot « père » fit sursauter James. Il décida de passer aux aveux. Il raconta à Eden la petite Jane, la terrible journée de Pacific Palisades, sa noyade, l'impuissance à la sauver. Il parla vite, oubliant les détails, comme pour se débarrasser définitivement de ce fardeau. Eden repoussa le bol où fumait le breuvage noir. « Tu aurais pu m'en parler plus tôt, dit-elle, la voix prise par l'émotion. Je t'ai tout dit sur moi, tout de suite. Tout. Ce que tu gardes pour toi, ça finit par te détruire. Tu vas en crever. Et je ne le veux pas. Le bébé a besoin d'un père. »

James se leva pour s'installer sur la véranda, dans le rocking-chair, la place réservée à la méditation. Il prit une cigarette qu'il n'alluma pas. Il se balançait lentement, sans dire un mot, le regard perdu. Après avoir fini son petit déjeuner, Eden vint le retrouver. Elle dit : « Jane va avoir un petit frère ou une petite sœur. *It's a good new, sweety.* »

19

Jim Dukan avait la gueule des mauvais jours. Il regardait la large trace de sang séchée sur le parquet. Le corps d'Adam Tolédano avait été enlevé par la police scientifique. Le pauvre vieux s'était sûrement vu mourir après qu'on lui eut tranché la gorge. Le décor sentait la mort lente. Le shérif passa une paire de gants de latex bleu. Il prit une petite pochette de laquelle il extirpa avec une fine pince un mégot de cigarette qu'il déposa sur une latte de bois, dans le recoin de la pièce où le vieux avait agonisé. « James, vieux pédé, ton compte est bon », grommela-t-il, en se relevant. Il jeta un coup d'œil par la fenêtre et sortit par la porte de derrière sur laquelle on n'avait pas posé les scellés. Il ôta ses gants, rebrancha le talkie-walkie qu'il avait coupé au moment de pénétrer dans la station-service désaffectée, puis rejoignit le 4x4. Il plaça la paire de gants sous le siège de cuir. Je les brûlerai ce soir, pensa-t-il. Au moment de démarrer, il vit une silhouette devant lui, à contre-jour.

— C'est quoi, ce bordel ? s'écria-t-il, en sortant son revolver de l'étui.

— Coupez le moteur, et mettez les mains sur le volant, dit une voix féminine venue de la droite du véhicule. Coupez le moteur ! Mettez les mains sur le volant ! s'écria à nouveau la voix.

Le shérif s'exécuta. Deux minutes plus tard, il n'avait plus d'arme, se retrouvait les mains derrière le dos, menottées comme un simple dealer. La voix féminine avait un beau visage de blonde d'à peine trente ans, avec des yeux bleus qui auraient plu à Hollywood. « Agent spécial Samantha Taylor, se présenta la voix. Et voici mon collègue, l'agent spécial Charles Thompson. » Le shérif découvrit un black qui ressemblait davantage à un catcheur qu'à un agent du FBI. À chaque fois qu'il respirait, sa veste de costume demandait grâce. Samantha Taylor était plus que grande que lui, filiforme, et plate comme une sole. « Vous m'arrêtez pourquoi ? » demanda Jim Dukan, très énervé. Pour toute réponse, Thompson lui arracha le talkie-walkie, et l'écrasa d'un coup de talon.

— C'est quoi, ce bordel ? Hurla le shérif.

— C'est votre expression préférée, Jim, dit Samantha Taylor. Ce bordel, comme vous dites, c'est que vous venez de vous faire prendre en train de pénétrer illégalement sur une scène de crime. On se doutait que vous alliez faire un coup tordu à James. Or, vous savez qu'il ne faut pas faire de coup tordu à James. Vous êtes incorrigible, Jim.

— Vous m'avez arrêté dans ma voiture professionnelle. C'est un abus de pouvoir. Relâchez-moi immédiatement !

— Non, c'est impossible, dit Samantha Taylor. Vous ne vous doutiez pas que vous étiez surveillé par le FBI ? Vous me décevez, Jim.

— Ta gueule, poufiasse. Détache-moi et rends-moi mon flingue.

— Vous aggravez votre cas. Insulter un agent…

— Fais pas chier ! coupa le shérif. Libère-moi.

Avec la main droite, Taylor porta un coup fulgurant à la gorge du shérif, qui coupa net sa respiration. Il tomba à terre comme un sac de patates éventré. Elle regarda son visage qui s'empourprait. Il transpirait sous le soleil. « Tiens, je te remets ton beau chapeau de cow-boy, Jim. Il ne faudrait pas que tu meures tout de suite. »

C'est alors que l'agent Charles Thompson demanda au shérif ce qu'il était venu faire dans la maison du vieil Adam. Le dos contre le 4x4, le souffle court, Dukan les envoya d'abord se faire foutre. Puis, après lui avoir brisé deux doigts, l'index et le majeur de la main droite, terrible pour un représentant de la loi droitier, Jim, comme l'appelait la jolie blonde du FBI, finit par avouer. « Bah, c'est de la guimauve, ce mec, lâcha Thompson, presque déçu. Il craque au bout de deux doigts pétés et un coup de latte dans sa face de gros bouseux. Par un black et une nana, en plus. Pour un raciste, ça doit être dur à encaisser, non ? » Dukan ne répondit pas. Il en était incapable.

Samantha Taylor fouilla dans les poches du shérif, trouva son portable qu'elle fracassa contre un rocher.

Après avoir récupéré le mégot, monté Dukan dans la voiture noire du FBI, les deux agents spéciaux se répartirent les tâches. Thompson ouvrirait la route en direction du désert tandis que Taylor conduirait le 4x4 du shérif, sans avoir oublié de désactiver le GPS.

« Tu sais, ma copine, elle croyait que t'étais un solide, dit Thompson, tenant le volant, les biceps gonflés à bloc. Même tes cartilages, ils étaient mous. Ils ont à peine craqué. Sam, elle te déteste plus que moi. C'est ça, les femmes. Tu leur files une arme, tu leur apprends à se battre, et elles deviennent pires que nous. Plus violentes. Oh, oui ! Comme on sait que t'es raciste, et probablement antisémite, elle voulait te couper le bout de la bite. Enfin te faire une circoncision. Mais elle voulait que ce soit à l'ancienne, avec un silex. Comme l'a fait Abraham. »

Les doigts tuméfiés, la gorge bleuie par le coup porté par l'agent Taylor, le shérif ne répondait toujours pas. Il était ratatiné sur le fauteuil du passager, le visage en sueur, regardant sans la voir la plaine brûlée derrière la vitre teintée. Il finit par dire, dans une terrifiante grimace, la voix brisée : « Où m'emmenez-vous ? » La face carrée de Thompson se fendit d'un large sourire. Puis avec l'index, il rajusta ses lunettes de soleil qui glissaient sur l'arête du nez.

— Dans le lieu où tu vas crever, dit Thompson. Mais avant, on te réserve un ultime plaisir. Comme ça, tu pourras vraiment détester les agences gouvernementales.

— Mais putain, c'est qui en réalité ce James ? balbutia Dukan.

— Tu aurais dû te poser la question avant de fabriquer une fausse preuve, répondit Thompson, les yeux rivés sur la route. Maintenant, c'est trop tard.

Au bout de l'horizon, le soleil ressemblait à une orange. C'était à la fois solennel et violent. Une belle fin de journée pour mourir dans des conditions atroces. La grosse voiture noire quitta le ruban de bitume pour emprunter un chemin pierreux. L'agent Taylor, au volant du 4x4 du shérif, en fit de même. Trois ou quatre kilomètres plus loin, les deux véhicules s'immobilisèrent au milieu de nulle part. Thompson fit descendre Dukan sans ménagement. Il peinait à marcher. Taylor les rejoignit avec une gourde et une ombrelle rose. Thompson ordonna au shérif de s'arrêter. Il continua en chaloupant. Énervé, l'agent spécial lui donna un coup de pied dans les reins, ce qui déstabilisa Dukan. Il s'écroula dans un nuage de poussière. Plus jamais il ne serait debout. Thompson sortit de sa poche une sorte de petit revolver, il appuya le canon sur la nuque du shérif, pressa sur la détente. Un cri sourd sortit de la bouche de Dukan en même temps qu'un spasme secoua son corps. « C'est quoi, ce truc froid dans le cou, bafouilla le shérif. Ça fait mal, putain. » Taylor posa la gourde près de son visage barbouillé de poussière grise, ouvrit l'ombrelle dont le manche était en forme d'épée. Elle le planta dans le sol, à un centimètre de l'œil droit de Dukan. « Tu as de l'eau, tu es protégé du soleil, susurra Taylor. Tu vois avoir une douce agonie, Jim. »

Le shérif, dans un ultime effort, tenta de se relever. En vain. Son visage ressemblait à un vieux gant de baseball. « On t'a administré un sédatif, avoua Thompson. Tu vas planer un peu. Laisse-toi dériver vers l'autre monde. » Le shérif réussit à se basculer sur le dos. Sa chemise sortait du pantalon, découvrant son ventre blanc. « Vous êtes de vrais tarés », bredouilla Dukan. Samantha Taylor s'agenouilla et lui dit à l'oreille : « Nous, on exécute les ordres. Avec le sédatif, nous t'avons implanté une puce dans le cou qui émet des micro-ondes que seuls les pumas peuvent capter. Les ingénieurs de la CIA sont très forts dans la création de gadgets. Là, tu vas avoir la visite d'un mâle qui croira tomber sur une femelle en rut. Imagine sa déception quand il verra ta bobine. Ça va le mettre en boule. Imagine sa vengeance. Bois bien en l'attendant, et protège-toi du soleil. Il faut que tu sois en forme pour ta dernière gâterie. Adieu, Jim. »

Le shérif eut à peine la force d'articuler une insulte. Samantha Taylor ouvrit la gourde et lui humecta les lèvres. Puis les deux agents remontèrent dans les véhicules, Charles

Thompson se mettant au volant du 4x4 du shérif. Dans une dizaine de kilomètres, il abandonnerait le véhicule, après avoir placé une bombe à retardement sous le réservoir. La nuit serait alors tombée. Dukan regarderait la voie lactée, priant Dieu de le faire crever très vite.

FURNACE CREEK

Cercle 1

James avait décidé d'arrêter la cigarette. Il buvait moins, mais c'était plus difficile. Il avait besoin de son bourbon le soir, et de bières glacées dans la journée.

Eden prenait très au sérieux sa grossesse. Elle faisait attention à son alimentation, marchait le soir, résistait à la dope et aux médocs. Elle mâchait les plantes de l'Indien comme une carmélite récite ses prières : avec conviction.

Un soir, Eden fut tentée par un petit joint. James posa devant elle une photo de Jane. Elle avait les cheveux longs, légèrement blondis par le soleil, elle portait un maillot de bain. La photo avait été prise sur la plage par Frances, une heure avant le drame.

— Je te la donne, fit James. Quand ta volonté défaille, regarde-la. C'est encore plus efficace que ton herbe miraculeuse.

— Elle est belle ! s'écria-t-elle. La peau comme du pain d'épices. Déjà grande pour son âge avec de longues jambes. Pourquoi tu ne m'as jamais parlé de sa mère ?

James répondit qu'il n'avait jamais trouvé le moment opportun. La pirouette ne réussit pas à convaincre Eden. « Si c'est un garçon, on le prénommera Peter, en souvenir de son grand-père, dit Eden. Si c'est une fille, ce sera Eva. Et ne grogne pas. C'est décidé dans ma tête. » James trouva que c'était faire la part belle à ses parents.

Le lendemain, James téléphona à Robin Bakker. Il avait un service à lui demander.

— J'allais t'appeler, affirma l'agent spécial. Tu vas mieux ?

— Oui, fit James. Pourrais-tu obtenir une *green card* pour Eden ?

Il faillit révéler qu'elle était enceinte mais il se ravisa au dernier moment. Robin dit que cela ne lui posait aucun problème. Il allait en faire la demande immédiatement. « Des nouvelles du biographe ? », demanda Robin. James répondit non.

Voilà, ça se mettait en place. Une nouvelle vie commençait. Une esquisse de stabilité se dessinait. Au fond de lui, James n'y croyait pas. Mais pour Eden et le bébé, il ferait comme si.

Le coup de fil à Bakker avait réactivé l'affaire de sa vie. Il avait cru qu'il pourrait oublier le mystère qui entourait la mort de sa mère, qu'il pourrait vivre sans le percer. C'était une erreur. On ne garde pas un furoncle à la fesse.

Il attendit que la nuit tombe, qu'Eden dorme surtout, pour se réfugier dans le home cinéma. Il était descendu avec une bière glacée, une seule. Il ouvrit un placard et saisit l'enregistrement qu'il avait fait lors de sa visite à Marlon Brando. Jamais il ne l'avait écouté en entier. Les dix premières minutes, et encore. Il avait seulement noté dans son carnet quelques détails de la villa et de l'acteur sur son lit.

*

Le ciel était charbonneux, de gros nuages montaient de l'océan Pacifique, quand James sonna à la porte de la villa Frangipani, 12 900 Mulholland Drive. Des chiens aboyèrent, semble-t-il très menaçants, derrière le haut mur ceinturant la maison protégée par des caméras et des barbelés. Un véritable bunker où s'était réfugié le dernier des géants d'Hollywood. La domestique, Angela, le conduisit à la chambre de Brando. Il ne pouvait presque plus marcher, passait le plus clair de son temps couché, somnolant le jour, déclamant la nuit du Shakespeare ou parlant avec les marins du monde au micro de son émetteur radio. Le matricule KE6PZH, c'était lui. Il pesait plus de 160 kilos, se goinfrait de hamburgers, avalait des litres de vanille-noix de pécan Häagen-Dazs. Le diabète finissait de détruire le mythe et l'humiliait en liquéfiant ses excréments qu'il ne parvenait plus à retenir. Mais le mythe s'en foutait, il n'était déjà plus là.

La chambre ressemblait à un bocal où macérait dans son jus de graisse un énorme morceau de barbaque nommé Brando. Des tuyaux reliés à des bouteilles d'oxygène entraient dans ses narines. Les quelques cheveux blancs qui lui restaient étaient huileux, en bataille. On aurait dit un clown obèse oublié par la troupe. Torse nu, le poitrail d'un taureau de corrida, il agita sa main et, de ses doigts restés étrangement fins, il lui fit signe de s'avancer, puis de s'asseoir sur le fauteuil auprès du lit. La chambre était plongée dans un clair-obscur lugubre. Il faisait chaud, la clim fonctionnant comme ses poumons. James buta contre la glacière contenant le ravitaillement de fin de journée. En s'asseyant, il fut immédiatement incommodé par les effluves de merde mélangés à un parfum capiteux. Brando grogna. James, mal à l'aise devant cette épave bouffie par la bouffe, leva les yeux au ciel, comme pour échapper à cette vision terrifiante de l'homme détruit, qui fut pourtant le plus bel acteur du monde. C'est alors que son regard se posa sur un Tampax encadré et suspendu au-dessus de ce corps gargouillant et fétide.

« Vous regardez l'objet que m'a laissé ma femme, Anna Kashfi, avant de se tirer de cette maison, dit Brando d'une voix traînante. C'était une manipulatrice qui m'a fait croire que du sang indien coulait dans ses veines. Je vous reçois ici, James, parce que je ne sors plus, je ne fais plus d'efforts. Et puis j'ai l'air d'être enceinte. La vie se résume à un long, trop long, exercice de survie. C'est épuisant à la longue. La nuit me va bien. J'erre tel un fantôme, le fantôme de Brando, l'acteur le plus célèbre et le plus sexy de la planète, vous vous souvenez, cette soi-disant panthère flegmatique en débardeur d'*Un tramway nommé désir*. Acteur, c'est le métier le moins intéressant qui soit. Seul avantage, c'est bien payé. On peut en faire ce qu'on veut de l'argent. Moi, j'ai rendu la dignité aux Amérindiens avec. Vous voulez une glace ? »

James n'en voulait pas. Brando allongea le bras, grogna encore, prit dans la glacière un pot de vanille-noix de pécan. Il se saisit d'une cuillère sale qui se trouvait sur la table de chevet et attaqua la glace. « C'est bon, dit-il en bavant, ça rafraîchit. La clim fonctionne mal. Tout fonctionne mal chez moi. Alors vous êtes le fils d'Eva. Je ne pensais pas vous voir un jour. » Un peu de vanille coulait sur les bourrelets de son cou. Ça ne le gênait pas. Il continuait d'engloutir son pot. « À Hollywood, les naissances c'était compliqué à cause de l'identité incertaine du père. » Il faillit s'étrangler en prononçant cette phrase, le regard vif au milieu de son visage noyé de gras.

C'est là que James avait décroché. Il avait cessé d'écouter Brando. Il était resté physiquement, mais son esprit avait quitté la chambre à l'atmosphère écœurante. Et quand il s'était passé l'enregistrement, il avait stoppé à cet instant précis.

Le déni total.

« Votre mère n'était pas une sainte, c'était une femme très courtisée, au tempérament insatiable, poursuivit Brando, la langue chargée de sucre. Je l'aimais beaucoup parce qu'elle était sincère et fidèle à ses rares amis. Je faisais partie de ses rares amis, vous comprenez, James. Elle me confiait tout. Quand j'ai réalisé *La Vengeance aux deux visages*, elle a tout de suite accepté le rôle que je lui proposais. C'était important qu'elle soit auprès de moi. Tout le monde espérait que je me plante. Tout le monde a toujours été jaloux de moi, alors que j'ai fait un métier d'abrutis. Et vous savez pourquoi James ? Parce que j'ai mis les mains dans la merde justement. J'étais le seul à le faire. J'ai débouché les chiottes et posé des sphincters propres quand il le fallait. Ils avaient peur de moi, ils me craignaient, me haïssaient. Ils m'ont tous trahi. Même ma famille m'a trahi. Elle continue du reste. Kazan m'a trahi. C'est terrible ce qu'a fait Kazan. Je le considérais comme mon père. Il a même balancé votre mère devant la commission des activités antiaméricaines. Mais ça paraissait peu crédible. Alors, au dernier moment, il a répondu qu'il n'était pas certain. Enfin son nom a été cité. Tous, je vous dis, ils m'ont trahi. Sauf Eva. Elle a toujours été là quand c'était nécessaire. »

Là, James se souvenait avoir demandé à Brando qui pouvait détenir le cahier noir. Il se souvenait également de sa réponse, lui ouvrant la piste de Charley Wilson, ce flic de Los Angeles aujourd'hui atteint de la maladie d'Alzheimer. En fait, cette conversation pouvait être comparée à un filet de pêcheur : deux ou trois poissons avaient été pris au piège.

Brando se redressa difficilement. Il continuait de gratter la glace, la dévorant sans attendre qu'elle ramollisse, il ne pensait plus qu'à manger. Il tentait de colmater la faille de sa blessure. Il n'y arriverait pas. Son corps était la faille même.

« Eva était une excellente actrice, dit Brando dans un long rot. Dans l'œilleton, ça collait tout de suite. Elle apprivoisait la caméra. Elle n'en faisait jamais trop. C'était un jeu exubérant parfois, mais sans être inutile. Un jour, elle a balancé à un grand metteur en scène, dont je tairais le nom, qu'elle allait résumer la scène au lieu de la jouer. Ça économiserait de la pellicule, donc de l'argent. Dans *Les Dix Commandements*, elle était prête à raconter la mer Rouge qui s'ouvre devant les Hébreux. » En disant cela, Brando sourit. Et James fut surpris de l'attrait qu'exerçait encore ce sourire.

« Je l'aimais profondément, soupira Brando, en laissant tomber le pot vide. Mais il y avait trop de pression sur elle, à la fin de sa vie. Quelque chose l'excitait et la minait en même temps. Je lui disais qu'elle avait le cul blanc et le cœur noir. On se comprenait comme ça. Les grands discours, c'est pour les politiques, les menteurs professionnels, les truqueurs. Nous, on a toujours menti, bien sûr. Mais jamais entre nous. Jamais, James. Quand elle avait un problème sérieux, elle s'interrogeait : "Que ferait Brando à ma place ?" C'est bien que vous soyez venu. C'est la fin et c'est bien. »

Il faisait nuit, à présent. Dehors, les molosses aboyèrent. Brando dit alors, le souffle court : « Ce sont les hamburgers.

On me les livre par dix. Vous en voulez un ? » James fit signe que non. Il n'avait pas faim.

La femme de ménage déposa les hamburgers au pied du lit. Brando engloutit le premier en un rien de temps. De la sauce coulait sur son torse. Il ne sentait rien, ne voyait rien, absorbé par sa destruction.

« Eva buvait beaucoup, dit Brando, en s'essuyant la bouche avec la paume de sa main. Moins que Marilyn, je vous l'accorde. Mais elle buvait et prenait des barbituriques par poignées. Moi, je n'ai jamais bu. Enfin pas beaucoup. Ma mère était alcoolique, c'était un spectacle insupportable de la voir ivre. Ah, ma Dodie, comme elle me manque. C'est la femme de ma vie, James. Quand je venais dormir dans son lit, le soir, tout s'apaisait. C'était miraculeux. L'alcool l'a détruite. »

Brando se tut, le temps d'entamer le deuxième hamburger. « Ça n'aurait pas dû être comme ça, reprit-il, en bafouillant. On n'aurait jamais dû être séparés, Dodie et moi. Après j'ai fui. Je ne pouvais pas faire autrement que fuir. »

Puis Brando devint plus énigmatique. L'oxygène le faisait divaguer. « Jamais personne n'a vu aussi loin que moi, lâcha-t-il. Votre mère savait. C'est pour ça que je vous ai reçu. Je devais voir le fils d'Eva. Vous l'aimez, j'espère. Malgré son geste terrible, vous devez l'aimer. »

Et Brando chercha la main de James qu'il caressa plus qu'il ne la serra.

« Ah, c'est déjà la nuit, souffla Brando. Je vais brancher la radio et parler aux marins qui sont en mer. Les ondes hertziennes me donnent l'illusion d'être léger. L'illusion, ça nous connaît, nous, les acteurs. Ils entendent une voix. Ils ne me reconnaissent pas, je la modifie, je prends des accents différents. La radio, associée à la nuit, permet l'effacement de soi. »

En sortant de la villa, James sentit, dans la chaleur de la nuit, que Brando le regardait s'éloigner. Il leva les yeux, aperçut une masse derrière la fenêtre de la chambre. Brando était debout, poitrine tombante, ventre dilaté. Il leva les bras qui semblaient minuscules par rapport au corps. On aurait cru une chauve-souris suspendue à une poutre. Il portait un immense caleçon blanc. James détourna le regard et courut dans les rues de Beverly Hills jusqu'à perdre haleine.

*

Assis dans un fauteuil de son home cinéma, James ne bougeait pas. Il était comme paralysé. La bouteille de bourbon lui manquait. L'air aussi lui manquait. Tout lui manquait. Brando n'avait rien dit, il avait subtilement distillé la vérité à son visiteur. Et jusqu'à maintenant, ce visiteur avait refusé d'admettre qu'il ne connaissait pas l'identité de son géniteur. L'élément déclencheur fut qu'il allait lui-même être père. À présent, il voulait savoir.

James but une gorgée de bourbon, puis une deuxième, une troisième, et décida de finir la bouteille dehors.

Il marchait sur le chemin conduisant au potager, il respirait l'air sec, tiédi par la terre, la lune lui faisait peur, elle semblait se rapprocher dangereusement. C'est alors qu'il vit plusieurs lapins qui couraient entre les herbes grillées par le soleil. Il lâcha la bouteille de bourbon qui se brisa sur une pierre, se précipita dans la grange où il attrapa le fusil à pompe caché sous le foin, et se mit à tirer sur les lapins qu'il réduisit en bouillie. Gus apparut au moment où James cherchait d'autres munitions.

— Vous êtes devenu fou, patron ! s'écria le vieux tout essoufflé.

— S'il y a un incendie, hurla James, les lapins qui crament vont propager le feu en courant. Laisse-moi buter ces enculés !

Eden accourut à son tour. Elle ne portait qu'un t-shirt. James lui ordonna de rentrer. Elle refusa. « Tu es pieds nus, il y a des scorpions partout, s'époumona-t-il. Rentre, je te dis ! » Eden poussa un cri et regagna le ranch illico. Gus parvint à raisonner James qui lui tendit le fusil, avant de s'écrouler dans la poussière. « Relevez-vous, dit Gus. C'est pas le moment de craquer. Il y a le petit à venir. Eden est fragile, elle a besoin de vous. »

James grimaça. Il était tombé lourdement. « Je dois savoir, Gus, je dois savoir », répéta-t-il, la joue contre le sol.

On aurait juré qu'il avait la tête dans la cendre.

Cercle 2

Depuis plusieurs semaines, James n'écrivait plus rien. Il ne répondait plus aux messages de Mc Coy, ni même à celui de Zaccaria, inquiet de ne plus avoir de nouvelles du « génial scénariste ». Il se négligeait, mangeait à peine, laissait pousser sa barbe. Ses cheveux étaient de plus en plus gras. Il puait, dormant désormais dans le salon. Il contemplait les montagnes brunes, les nuages noirs dans le ciel, les busards guettant une proie facile. Il buvait beaucoup, des litres de bière glacée et du bourbon sans glace. Il ne touchait plus Eden qui n'osait lui parler tant il semblait ailleurs. Gus le laissait couler. Il pensait qu'après avoir touché le fond, il rebondirait. C'était une question de temps.

Un soir, James demanda à Eden si elle était vraiment enceinte. Eden dit oui, puis le traita de connard.

— C'est bizarre, balança-t-il, ton ventre reste plat.

— Va cuver ! hurla-t-elle, t'es en train de tout saccager !

Une autre fois, après avoir regardé longuement la seule peinture faite de sa mère, James sortit et s'adressa au désert, les mains jointes : « Mother est vivante dans ce tableau, parce que la peinture, ça vit. Ce n'est pas comme les photos où tout est figé, fixé, pour toujours. Y a du mouvement dans un tableau, des vibrations, la peinture est d'essence divine. » Il marqua une pause. « Eh Dieu ! reprit-il, je suis le fils de qui ? Dis-moi ! » Il cracha par terre, se mit à courir, trébucha sans tomber toutefois, le visage congestionné, le regard embué, hagard. « Je suis le fils de Brando ! s'égosilla-t-il, je suis le fils de deux monstres qui n'ont jamais pu dire qu'ils s'aimaient, qui n'ont jamais pu former un couple, parce que les ego, le cinéma, l'hystérie de ce milieu de dégénérés les a rendus ivres de leur putain d'image de mythe ! C'est ça ! Dis-moi, Dieu de merde ! hurla-t-il, les poings levés. Dis-moi ! »

James était au bord de la rupture psychique, il avait les yeux ronds, comme ceux d'un cheval qui sent l'abattoir, il agitait les bras, éructait des mots sans suite, cherchait à mordre l'air, ses lèvres tremblaient. Il finit sa course d'illuminé contre la barrière de bois, le cœur battant à rompre. L'odeur d'herbe sèche lui rappela la maison où il avait vécu avec Pet Kat. Il se souvint notamment que, quand ce dernier lui flanquait une raclée, soi-disant pour lui apprendre la vie, Il se réfugiait dans l'appentis au fond du jardin, ravalant sa haine. Là, il se racontait des histoires d'aventuriers qui terrassaient tous les méchants du monde, au milieu de l'herbe coupée pour les lapins indifférents à son chagrin. Car Pet Kat, au cœur de Los Angeles, élevait des lapins pour les bouffer en ragoût.

Le soleil brûlait son crâne. Il transpirait abondamment. Il fit un effort pour se retourner et se caler contre le piquet de la clôture. Son souffle redevint plus régulier, son pouls battait moins vite. Son jean sentait l'urine et sa chemise, la transpiration. Il était devenu une loque puante. Depuis combien de temps ne s'était-il pas lavé ? Il n'en avait pas la moindre idée. Il était involontairement entré dans un long tunnel, dont il ne ressortait que maintenant. « Si j'étais le fils de Brando, grimaça-t-il, il me l'aurait avoué. Ou peut-être ne le savait-il pas lui-même. C'était un baiseur compulsif. Tout Hollywood connaissait la longueur de sa queue, paraît-il. »

Gus, une fois encore, vint au secours de James.

— Ça devient une habitude, patron, bougonna-t-il. Va vraiment falloir vous reprendre.

— Je ne suis pas convaincu que Brando soit un type à offrir un pyjama de soie bleue, maugréa James.

Gus ne comprit pas sa remarque.

*

Le soir même de cette journée un peu dingue, James prit une douche bien froide, se rasa, enfila le plus récent de ses jeans acheté à Tucson ainsi qu'une chemise à fleurs d'un goût douteux. Le scénariste avait perdu au moins 4 kilos. Il flottait dans son pantalon.

James reçut ensuite le coup de fil qu'il n'attendait plus. Un numéro, qui n'était relié à aucun contact, s'afficha sur l'écran. Il posa son bourbon, hésita à décrocher, puis appuya sur la pastille verte.

— James Katenberg ?

— Oui.

— Bonsoir, je suis Théo d'Honnay. J'écris un livre sur…

— Je sais, coupa James.

— Ha, les nouvelles vont vite. Nous sommes tous sur écoute, remarquez. Surtout quand on travaille sur des personnages protégés par le FBI. Car vous êtes protégé par le FBI. Et, pour moi, vous êtes un personnage, un personnage essentiel…

— Vous écrivez une bio ou un roman ? interrompit James, en prenant une gorgée de bourbon, et en faisant signe à Eden de se rapprocher.

— Ça dépend de vous, Monsieur Katenberg. Si vous me laissez carte blanche pour écrire, ce sera une bio. Si vous êtes procédurier, ce sera un roman. Allo ?

James avait mis le haut-parleur pour qu'Eden suive la conversation. Un léger écho se produisit alors, faisant croire à Théo d'Honnay que la conversation avait été coupée. Eden et James passèrent sur la véranda. La baie vitrée était ouverte sur la plaine. James n'alluma pas la lumière, évitant ainsi l'arrivée massive des insectes.

— Je ne vous autorise rien, répondit sèchement James.

— Alors ce sera un roman. Mon premier, du reste. Je viens de finir mon travail de recherche. Tout est prêt. Je me demande juste si ce n'est pas vous le, disons, héros. Mais rassurez-vous, votre mère sera dans la lumière, elle le mérite. Quelle femme admirable ! Mais j'ai une requête à vous présenter.

— Allons bon, fit James en riant. Et elle consiste en quoi, cette requête ?

— Je voudrais vous rencontrer. J'ai des choses à vous dire, des choses que vous devez savoir avant la publication du livre. C'est la moindre des politesses.

— Vous craignez le procès, surtout, répondit James.

— Je crains moins la justice que les agences gouvernementales. Alors vous êtes partant pour ce rendez-vous ?

— Vous savez qui est mon père ? demanda James.

— Oui.

— Vous avez des preuves ?

— Oui. Devant moi.

— Vous avez le cahier noir ?

— Oui. Et le texte que votre mère a écrit à votre géniteur avant de se suicider. Un texte court, admirable. Les mots sont choisis, justes. Jusqu'au bout, elle fut digne et élégante.

— Vous mentez, rétorqua James. Le cahier est en lieu sûr.

— Il n'existe aucun lieu sûr, voyons, vous le savez aussi bien que moi. Sachez que je ne mens jamais. On peut être sympathique et honnête.

— OK, balança James, tenant fermement son verre pour contenir les tremblements. Où et quand ?

— Je vous propose Furnace Creek, au seul motel avec piscine, dans deux jours. C'est là que Marlon Brando a couché avec Vivien Leigh, la femme du plus grand acteur de tous les temps, Laurence Olivier. Ainsi a-t-il pu se croire meilleur que lui. Et il l'était.

— Brando, c'est mon père, lança James.

— Non.

— Pourquoi cet endroit paumé ? demanda James.

— Justement parce qu'il l'est. C'est un peu le dernier cercle de Dante, le neuvième, je crois, celui de Lucifer, où se retrouvent les traîtres célèbres, à commencer par Judas. Dans deux jours, donc, Monsieur Katenberg. Vous avez mon numéro de téléphone. Bonne nuit.

James regarda Eden, le portable à la main. Elle lui dit de ne pas accepter ce rendez-vous. C'était dangereux, il en allait de sa vie. Elle le sentait. Mais c'était comme à la roulette, quand on avait misé et que la bille tournait, on ne pouvait plus rien faire.

Eden n'aimait la façon dont le biographe s'exprimait. Son ton était précieux, voire onctueux. On aurait dit un curé. Ça sentait l'hypocrite et le coup fourré. Comprenant que ses arguments ne portaient pas, Eden entra dans une colère dont elle avait le secret. Une colère qui s'autonourrissait. Quelque chose qui enflait comme un soufflé. James lui demanda de se calmer. « De toute façon, ma décision est prise, dit-il. Je dois connaître la vérité. Peu importe le lieu du rendez-vous. Si ça amuse ce type de me voir dans un endroit qui ressemble à l'enfer, laissons-le prendre son pied ainsi. Le désert et la chaleur ne me rebutent pas. »

Eden le supplia de rester au ranch. Elle posa les deux mains sur son ventre. « Ne pars pas, ne nous abandonne pas », pleura-t-elle. James la regarda, le visage grave. Il lui promit de revenir. « Tu devrais appeler Bakker, conseilla-t-elle. Il faut le mettre au courant. Tu peux au moins m'accorder ça. »

C'était la première fois qu'Eden réagissait en personne responsable.

Après être tombé sur la messagerie de Bakker, James laissa le message suivant : « Théo Machin veut me voir dans la Death Valley. J'ai accepté. Rappelle-moi. »

Le lendemain, très tôt, avant le chant des oiseaux et l'aube au-dessus des montagnes, James mit son sac sur le siège passager de la Plymouth et fila vers l'aéroport de Phoenix. Eden dormait, ou faisait semblant. Il lui enverrait un SMS une fois arrivé à Las Vegas.

Après avoir annoncé son départ pour Furnace Creek, James avait demandé à Gus de veiller sur Eden. Il avait tiqué quand son patron avait révélé le motif de cette escapade. Il trouvait cela très étrange, pour ne pas dire irrationnel. Or, Gus était un pragmatique, pas un intello torturé. Il lui avait conseillé d'acheter une arme sur la route, dans le Nevada, plus simple à obtenir que dans l'État de Californie. James avait acquiescé.

Gus avala un bol de café avec Eden, pas très fringante.

— Tu en penses quoi, Gus ?

— Pas grand-chose, répondit-il. Il ne voulait pas l'inquiéter davantage. James a besoin de savoir d'où il vient. C'est la fameuse recherche des origines. Pour moi, ce sont des conneries. Ce qui est important, c'est d'avancer. Même en claudiquant, en traînant sa misère. Faut surtout pas poser ses valoches et se triturer la nouille. Excusez mon langage, miss. Mais c'est ce que je pense, parce que c'est du vécu.

Eden aimait bien l'entendre parler ainsi. Elle ne partageait pas totalement ses propos, mais elle était rassurée par sa force tranquille. Elle se sentait en sécurité. « Vous savez, ajouta le vieux, les chiens, quand ils recroisent leurs géniteurs, ils ne les reconnaissent pas. Ils les mordent même s'il y a de la bouffe en jeu. C'est la loi de la nature. James croit la comprendre. Il dit être à son écoute. Il se leurre. »

Gus reprit du café. Il regarda Eden, comme jamais il ne l'avait regardée. Puis il dit : « L'essentiel, c'est le bébé. Pas la merde du passé. » Eden s'approcha de lui et le serra dans ses bras. Sa salopette sentait le crottin, mais cela n'avait pas d'importance. Quant à Gus, il ne détesta pas cette marque d'affection. Il sourit même.

« Tenez, miss, il m'a donné ce papier pour vous. À remettre quand vous serez levée. » Eden le déplia, et lut :

« Eden, on aurait pu se rencontrer sur Sunset Boulevard, on aurait pris un verre dans un bar aux lumières tamisées. Bourbon pour moi, cocktail multicolore pour toi. Dehors il aurait fait moite, la brume marine serait tombée d'un coup. En sortant, une odeur de gasoil nous aurait rendus mélancoliques, comme la palme d'un palmier au-dessus du bitume chaud. La vie en a décidé autrement. Mais nous nous sommes rencontrés.

Je reviendrai.

James. »

Eden glissa le morceau de papier dans son short. C'était une promesse. Elle allait s'y accrocher comme à une bouée de sauvetage. Sa famille avait la volonté des marins.

Cercle 3

Après avoir atterri à Las Vegas, James loua un 4x4. Puis il envoya un SMS à Eden pour lui dire qu'il roulait en direction de Furnace Creek. Elle le rappela aussitôt.

— Tu me manques, déclara-t-elle. Sois prudent, mon homme.

— L'essentiel, c'est que la clim tienne, répondit laconiquement James.

Eden lui demanda la température qu'il faisait.

— 86, au compteur, dit-il.

— Quoi ! s'écria Eden, tu vas cuire ! Reviens tout de suite.

James lui signala que c'étaient 86 degrés Fahrenheit, soit environ 30 degrés Celsius. Pour la faire enrager, alors qu'il buvait une gorgée d'eau minérale fraîche achetée dans une supérette, il lui demanda ce qu'elle ferait s'il décidait de la quitter. « T'as rien d'autre à me balancer ! enragea-t-elle. Eh bien je te suivrais », ajouta-t-elle sans se démonter. Puis la conversation coupa faute de réseau. Eden rappela. Elle tomba directement sur la messagerie.

James roulait à vitesse régulière, traversant un paysage cramé par le soleil. Le sol ressemblait à une vieille moquette de hall d'hôtel. Tout semblait figé, la maigre végétation comme les montagnes à l'horizon, par un événement insensé survenu quand le silence régnait sur terre. Le ciel était bleu, net, récuré. À Amargosa Valley, James fit une halte. En ouvrant la portière, il crut mettre la tête dans un four. Le vent chaud lui brûla les narines. Si ce n'était pas l'enfer, ça devait y ressembler bougrement. Il ne s'attarda pas, juste le temps d'acheter un Smith & Wesson .44 Magnum, en acier inox, dans un *store gun*. Il prit également une boîte de cartouches. Après avoir quitté le Nevada, il entrerait en Californie, État plus rigoureux sur la vente d'armes à feu. Il acheta également une bouteille d'eau pour la seconde partie du trajet. La chaleur était tellement écrasante qu'une bière ne le tentait pas. Il avait vraiment soif. Son corps n'était plus que sueur. Son cerveau, ensuqué par cette température à la limite du supportable, ne contrôlait plus rien, comme verrouillé de l'intérieur. Même son ventre semblait rétréci par une lassitude anxieuse. Le biographe cherchait peut-être à ce qu'il arrive diminué au rendez-vous, pensa-t-il soudain.

James emprunta la route 373. Il roula durant 140 kilomètres, regardant de temps à autre son téléphone qui n'avait délivré aucun message depuis sa conversation avec Eden. Il jeta également un coup d'œil au .44 Magnum, histoire de se rassurer. Il tourna ensuite à droite pour rejoindre une route plus petite et plus poussiéreuse, la 190, qui fendait Funeral Mountains. Parfois le 4x4 roulait sur de gros cailloux ou des morceaux de bois morts. « Il ne faudrait pas crever un pneu ici, maugréa-t-il, sous la chaleur et avec un réseau téléphonique capricieux, je pourrais bien finir grillé comme une côte de porc. » Il se frotta les yeux. La fatigue commençait à se faire sentir. Le soleil était haut dans le ciel. Puis il aperçut un panneau indiquant l'aéroport de Furnace Creek. Construit par l'armée, son usage était exclusivement militaire. Le 4x4 tourna à gauche. Il restait à peine 40 kilomètres avant d'entrer dans le neuvième cercle de l'enfer.

Le 4x4 traversa encore une vallée de sable et de sel. Puis surgit Furnace Creek, oasis artificiel de verdure, au cœur du désert de Mojave, avec piscine et golf pour retraités arthritiques. « Mais qu'est-ce que je fiche là ? » bougonna James en garant son véhicule sur le parking du motel.

*

Allongé sur le lit d'une chambre impersonnelle du Furnace Creek Ranch, et après avoir pris une douche, le scénariste reprenait des forces, le calibre .44 sur le drap blanc. La clim fonctionnait correctement, le matelas était bon. Des enfants plongeaient dans la piscine en poussant des cris de joie. Ça calmait ses angoisses. Il finit par s'endormir.

La sonnerie du portable le réveilla. La nuit était tombée. Derrière la fenêtre, le bleu avait cédé la place au noir.

— Allo, t'es difficile à joindre, dit Eden. T'es où ?

— Au motel, répondit-il, d'une voix lasse, je me repose.

Elle lui demanda si le biographe avait téléphoné.

— Pas encore, bailla-t-il. Pas encore. Je vais aller dîner, j'ai faim. Et toi ?

— J'ai peur, *sweety*, avoua Eden. Je psychote un max. Heureusement qu'il y a Gus. Tiens, j'ai pensé que l'œilleton de la caméra offrait à l'actrice la possibilité d'être belle et épanouie, tout le contraire de l'œil à travers lequel les surveillantes matent le cul des détenues. Je ne sais même pas pourquoi je te raconte ça. Pour te garder au tel sûrement. C'est quoi le numéro de ta piaule ?

Comme il ne s'en souvenait plus, James dut se lever et ouvrir la porte, alors qu'il était en caleçon. Il occupait la 123. « C'est marrant, dit Eden. Ça fait 1, 2, 3, courez ! »

James referma aussitôt, un couple arrivait du fond du couloir. « Il n'y a rien de marrant, rétorqua-t-il, je t'assure. Allez, je coupe. » Ce qui fit enrager Eden, car il n'avait prononcé aucun mot d'amour.

James marcha dans le village, sous le ciel étoilé. Il rencontra quelques touristes en tenues décontractées, des enfants heureux de courir dans tous les sens, ainsi qu'un chien qu'il avait pris pour un coyote drogué par les autorités locales, pour apporter un peu de pittoresque à la ville. Il alla jusqu'au bout de la rue principale, il s'aperçut que son portable ne captait plus le réseau. Il rebroussa chemin, et dîna au restaurant du motel. Il avala un steak avec des pommes de terre sautées, accompagnés de deux bières glacées. Puis il regagna sa chambre. Il se déshabilla, s'allongea entièrement nu, le portable d'un côté, le .44 de l'autre. « Quel spectacle je dois offrir aux agences de surveillance, dit-il à haute voix. Tiens, il ne m'a pas rappelé le Bakker... » Au moment où il prononçait ses mots, le portable sonna. C'était Eden. Il l'expédia, prétextant qu'il tombait de sommeil.

James commença la lecture d'un polar se déroulant à Hollywood, dans les années soixante et le milieu du cinéma.

Il fallait être maso pour lire ça, ce soir-là.

Cercle 4

Après avoir pris une douche et s'être habillé, James téléphona à Bakker. Il tomba sur la messagerie. Il ne laissa pas de message.

Le soleil tapait déjà fort et plusieurs personnes nageaient dans la piscine. Il mit sa casquette pour marcher dans la rue principale bordée de palmiers. Mais en clignant les yeux tant la lumière était vive, il s'aperçut qu'il avait oublié ses lunettes de soleil. Il eut la flemme de retourner à la chambre. Sa promenade erratique le conduisit jusqu'au musée des anciens transports de l'Ouest où il croisa des touristes en short, appareil photo en bandoulière. Une vieille locomotive à vapeur, rouillée et pleine de poussière bleutée, l'émut, car il songea à tous les pionniers qu'elle avait transportés, des pionniers à la conquête de terres nouvelles, qui avaient au passage exterminé les Indiens. Il n'alla pas plus loin. Il détestait la reconstitution de ville du XIXe siècle, avec saloon, hôtel, faux chevaux, fausses diligences. Il laissait ça aux imbéciles, préférant arpenter la plaine sableuse.

C'est alors qu'il vit devant lui une forme étrange, à la fois lumineuse et pâle. Précisément, pâle au centre et lumineuse aux extrémités mouvantes. Il s'arrêta. La forme en fit autant, se transformant progressivement en silhouette de femme. C'est alors qu'il reconnut sa mère. Eva Lopès était devant lui, dans une robe à fleurs, flottant à un ou deux mètres du sol, la bouche esquissant un sourire au milieu d'un visage lisse comme une pomme. Elle avait des yeux ronds, sans sourcils, des yeux qui semblaient ne pas voir. James se mit à trembler, ses jambes ne le portaient plus, son cœur s'emballa. Lorsque sa mère s'approcha de lui en tendant les bras, il faillit défaillir. Il respira un grand coup, son estomac se contracta, une violente et fulgurante douleur le fit se plier en deux. Il tomba sur les genoux.

De loin, on aurait cru Paul sur le chemin de Damas.

James posa les mains sur le sol chaud pour tenter de se redresser. Il y arriva, non sans mal, ses jambes continuant de trembler. Il ramassa sa casquette pleine de poussière, l'enfonça sur le crâne et regarda devant lui. Il ne vit que la plaine terrassée par le soleil. Il était pourtant persuadé d'avoir vu sa mère. Et non seulement, il l'avait vue, mais elle l'avait transpercé, le faisant tomber. Peut-être pour l'empêcher d'aller au rendez-vous du biographe, pensa-t-il, bouleversé.

James rebroussa chemin, entra dans un bar. Il but un café, tout en grignotant un muffin aux myrtilles. S'il avait pris ses lunettes de soleil, il n'aurait sûrement pas vu Eva, songea-t-il.

Puis il rentra au motel. Il eut envie de faire quelques longueurs dans la piscine, du dos crawlé, pour calmer les douleurs lombaires.

À la réception, au moment de prendre la clé de sa chambre, le scénariste entendit prononcer son nom. Il se retourna et vit un homme de petite taille, très mince, s'avancer vers lui.

— Vous savez qui je suis, dit-il, sans lui tendre la main.

— Oui, répondit James.

Théo d'Honnay avait un drôle de visage, en forme de cheval. Il avait le teint blafard des employés de bureau. Ses lèvres étaient minces, comme les personnes qui se retiennent toute leur vie par manque de courage. Il devait agir sournoisement et posséder du vice. Il convenait de s'en méfier. Ses yeux étaient jaunes. Il devait souffrir du foie. Il portait une chemise marron et un pantalon blanc aux plis parfaits. C'était un méticuleux, voire un maniaque. Dans son enfance, il avait dû dépiauter pas mal d'insectes. « Je vous propose de vous regarder nager, dit le biographe, d'un ton doux. Je me mettrai sur un transat, sous un parasol. J'aime le sport, mais pratiqué par les autres. Je ne vous imaginais pas si grand, dégageant une telle puissance. Eva a fait un beau garçon, ajouta-t-il, un peu sarcastique. » James serra les dents pour ne pas lui répondre vertement.

— Ne perdons pas de temps, dit le scénariste. Allons à l'essentiel.

— Oh, nous pouvons quand même bavarder un peu, rétorqua le biographe, d'une voix posée. Je vous propose de nous retrouver ici, ce soir. Nous dînerons, je vous dirais ce que vous voulez savoir.

James acquiesça. Il avait besoin de se vider la tête dans la piscine. Le biographe lui avait tapé sur les nerfs.

Après avoir nagé, James téléphona à Eden pour lui résumer la première rencontre avec celui qu'il appelait le biographe. Eden était inquiète. Elle le trouvait « chelou ». Depuis qu'elle avait entendu sa voix, elle savait qu'il fallait s'en méfier. C'est un pervers, avait-elle ajouté à la fin de la conversation.

James pensait comme Eden.

*

Avant de rejoindre Théo d'Honnay au bar, James hésita à prendre son .44. Il aurait fallu qu'il le cache sous sa veste. Or, malgré la clim, la température restait élevée. Il le laissa donc dans le coffre de la chambre.

Le biographe portait une chemise verte et un pantalon beige. Sous les lampes du bar, sa chevelure était noire. James, en s'asseyant sur le tabouret auprès de lui, se dit qu'il devait les teindre. Sinon, il aurait fait plus vieux encore.

— Vous buvez quoi ? demanda-t-il.

— Je ne me souviens plus du nom du cocktail, répondit le biographe. C'est sans alcool en tout cas.

James commanda un bourbon.

— Vous ne supportez pas l'alcool ?

— Si, dit le biographe, mais je n'aime pas ça. Pour être tout à fait exact, je n'en accepte pas les effets. Avec l'alcool, tout se brouille très vite, on ne contrôle plus rien.

En disant ça, ses lèvres, déjà minces, disparurent complètement. On aurait dit l'un de ces alchimistes peints par Rembrandt.

— Alors, révélez-moi l'identité mon père, fit James. Le reste ne m'intéresse pas.

— Si je passe aux aveux maintenant, vous allez partir, sourit-il. Ce serait dommage. Votre mère est une femme admirable. Je pourrais vous apprendre plein de choses sur elle. Mon travail de recherche est fini. Je voudrais vous en faire profiter. Et puis je voudrais vous convaincre de me laisser écrire sa biographie plutôt qu'un roman. Ainsi toucherais-je un plus large public. Mon éditeur est prêt à vous donner un pourcentage sur les ventes. Moi, je fais ce livre pour votre mère, pas pour l'argent. L'argent, ça va, ça vient. Ce livre, en revanche, doit rester, devenir la référence. *Eva Lopès, une vie*, par Théo d'Honnay.

— Vous êtes américain ? demanda James, en commandant un autre bourbon.

— Je ne suis pas intéressant, James. Vous permettez que je vous appelle James ? Enfin, si ça peut vous décider à me faire confiance, je vous dirai que je suis belge. Magnifique petit pays qui a une culture très dynamique, avec des artistes planétaires. Nous sommes trop fragiles, hélas, nous nous diluons dans un magma mondialiste d'inspiration libérale. Mais nous n'avons pas à rougir de nos ancêtres. J'ai décidé de vivre aux États-Unis pour me placer sous la protection du plus fort.

— Et vous êtes romancier ? demanda James, se retenant de finir son verre.

— Je suis biographe. Romancier, c'est trop compliqué. Je n'ai pas assez d'imagination pour ça. Ni d'énergie. En fait, je suis médecin. Médecin légiste. J'ai toujours été fasciné par les morts. J'aimais découper des gens apaisés, le visage serein. C'est très beau un corps sans tension, sur une table de dissection. Ça vaut un poème de Nerval. Je cite Gérard de Nerval parce qu'il n'a jamais connu sa mère... Et comme je les aimais trop tous ces morts détendus, on m'a fait comprendre que je devais m'en éloigner. Alors je me suis intéressé aux célébrités, mais uniquement celles qui sont mortes. Il faut que les choses soient closes par la mort pour que j'entreprenne un livre sur une célébrité. Sinon, c'est un travail inachevé. C'est frustrant.

James proposa au biographe de sortir. Il avait besoin de respirer un grand coup l'air pur, même chaud.

Au bord de la piscine éclairée au fond du bassin par des hublots, Théo écrasa un moustique sur son front plat.

— Ces bêtes sont dangereuses, déclara-t-il. Leurs piqûres peuvent nous infecter.

— Vous êtes hypocondriaque ? demanda James.

Le biographe s'avança vers le bassin, le menton légèrement relevé. La surface de l'eau était immobile. Un morceau de jazz s'échappait du restaurant. La nuit apportait un peu de fraîcheur. Il tenta une nouvelle manœuvre pour mettre en confiance James. Il attaqua ainsi : « J'ai de l'admiration pour vous, se surprit-il à dire. Déjà, vous êtes un instinctif. Nous nous sommes trop éloignés de la nature. Nous ne savons plus que discourir, nous étalons de la morale sur tous nos faits et gestes, c'est affligeant. Nous sommes en danger permanent. Regardez ce moustique. Il faut tuer ou être tué, voilà la vérité. Vous le savez. C'est pour cela que l'aridité du désert vous convient. C'est pour cela que nous sommes ici, dans un milieu particulièrement hostile. Vous êtes un prédateur, James, et de première force. Je vous admire, vraiment. »

James ne put réprimer un sourire. Ce type était un grand malade.

Le biographe, voyant qu'il peinait à convaincre, poursuivit : « Ce que j'admire en vous, c'est que vous êtes un miraculé. Vous avez survécu à la décision de votre mère : vous empêcher de naître. Vous avez gardé, de celle-ci, un traumatisme, un défaut de fabrication, oserais-je dire, un truc qui vous fait boiter, qui vous rend si différent des autres. Vous portez ce regard sans cesse étonné sur le monde, ce qui est normal puisque vous n'auriez jamais dû le contempler. Par ailleurs, votre mère vous ayant d'autorité condamné, vous êtes un transgressif permanent. Vous jouissez de ce que vous n'auriez jamais dû connaître. Vous êtes fait d'un singulier alliage. »

La piscine fumait. Les palmiers frissonnaient. La direction du vent avait changé. Pour la première fois depuis qu'il avait quitté l'Europe, James éprouva une sensation de réelle fraîcheur. La logorrhée du biographe devenait insupportable. Ce dernier ajouta : « Vous adorez votre mère qui voulait vous tuer. C'est passionnant ! Moi je l'aurais haïe. J'écris autant sur votre mère que sur vous. Et puis, avec vous, on connaît votre part maudite. C'est un gain de temps appréciable. »

James en avait assez entendu. Il décida de regagner le restaurant. Ce n'est plus Eva Lopès qui l'intéressait désormais. Il voulait connaître l'identité de son père.

Cercle 5

James commanda un hamburger avec des frites et une bouteille de vin californien. Théo d'Honnay prit une assiette de légumes cuits et de l'eau. Cela n'étonna guère James. Le visage émacié du biographe, avec ses pommettes en balles de golf, prouvait qu'il ne mangeait presque rien. Peut-être n'aimait-il pas manger du tout. Peut-être n'aimait-il que l'odeur des égouts de l'humanité.

— Avant de me révéler le nom de mon géniteur, dit James en prenant une poignée de frites, je voudrais savoir d'où vous tenez le renseignement.

— Je comprends votre méfiance. Au fait, vous devriez surveiller votre cholestérol. C'est répugnant ce que vous mangez.

— Hors sujet, s'irrita James.

— Je suis en possession du dossier du FBI, numéro 65 723 L, je le connais par cœur.

— Comment avez-vous fait pour l'obtenir ? s'indigna James.

— Hoover. John Edgar Hoover, le redoutable patron du FBI pendant près de quarante ans, aussi précieux qu'un pédé et aussi méchant qu'un drogué en manque.

— Mais il est mort depuis…

— En 1972, je sais, James. Ce n'est pas lui qui m'a remis le dossier. Disons que nous avons des amis communs… J'ai le dossier, avec le nom de votre père, l'histoire qui précède votre naissance, ce qui se passe ensuite, les raisons qui font que vous êtes encore en vie, car même après votre naissance, vous étiez menacé. J'ai également le mot de votre mère expliquant son geste criminel. J'ai tout. Je vous le montrerai plus tard. Il se trouve dans mon mobile home, près de l'aérodrome. Je ne dors jamais à l'hôtel. Les literies sont souillées. De même que je ne prends pas de douche. C'est trop dangereux. À la place, je me vaporise avec un spray de bactéries vivantes. Elles protègent ma peau.

James le fixa en se demandant si ce type était dingue ou s'il se moquait de lui. Il prit le hamburger et mordit dedans comme s'il attrapait le bras du biographe.

— Je suis donc un type surveillé ?

— Oui, en permanence, confirma Théo. Par l'agent spécial Robin Bakker. Il vous protège. Au début, vous deviez disparaître dans un bain d'acide. Votre père vous trouvait encombrant. Et puis, il a perdu un fils, mort d'une malformation pulmonaire deux jours seulement après sa naissance. À partir de là, il opère un revirement à 360 degrés, il veut vous garder en vie, vous faire élever par son entourage. C'est Peter Katenberg qui devient l'homme à abattre. Il veut vous soustraire à lui. Mais Pet Kat a de la ressource. Il vous a sauvé du ventre de votre mère morte. Il vous cache dans un monastère sur la côte californienne, faisant croire que vous vous trouvez au Nouveau-Mexique. Incroyable Pet Kat, montagne de muscles, bourru et sensible à la fois, qui vous donnait le biberon, face à l'océan. Jamais on ne le croirait capable de s'occuper d'un enfant quand on le voit interpréter les colosses dans les péplums.

— Et pourquoi on nous a soudain foutu la paix, fit James, échauffé par le vin californien.

— Parce que votre vrai père est mort, a répondu Théo. On a maintenu la surveillance, on vous a pistés, mais pour vous protéger, je viens de vous le dire. Il fallait que vous restiez en vie, dans l'ombre, sans qu'on connaisse votre réelle identité, mais en vie. Vous faites partie d'une famille qui semble frappée par la malédiction. Comme dans les tragédies, vous mourez tous de façon violente.

James se resservit du vin. Son cœur se mit à battre plus fort. Il hésita à poser la question, mais son instinct lui dit que c'était le moment, que Théo d'Honnay ne résisterait pas, qu'il était mûr pour lâcher le nom.

« Vous avez votre carte d'identité sur vous ? » demanda le biographe. James fut surpris par la question. Elle était dans le coffre de sa chambre avec le calibre .44.

« Déclinez votre identité », sourit Théo d'Honnay. James refusa. Il commençait à perdre patience, se retenant de ne pas balancer le vin à la figure du biographe. « Bon, je vais le faire à votre place. Vous vous appelez James Felipe Katenberg, tout en prenant une carotte dans l'assiette.

En une seconde, la vie de James bascula. Il venait de comprendre. C'était un peu comme si la scène d'un théâtre s'effondrait sous le poids des acteurs. Il se leva, renversa la chaise, sortit sans pouvoir presser le pas, presque groggy. Il se retrouva au milieu de la route, la poitrine sur le point d'éclater, les jambes flageolantes. C'est alors qu'il repensa au rêve qu'il avait fait, à cette demeure qui ressemblait à une hacienda, à sa mère enceinte qui menaçait cet homme dont il connaissait le visage sans parvenir à l'identifier. C'était celui de John Fitzgerald Kennedy. JFK, le trente-cinquième président des États-Unis, assassiné à Dallas, le 22 novembre 1963, à quarante-six ans. JFK. James Felipe Katenberg.

Cercle 6

« Je savais que vous alliez revenir, jubila Théo d'Honnay devant un ananas frais, coupé en quatre. Et que vous voudriez la preuve de ce que je viens de vous révéler. » James n'avait besoin que de reprendre ses esprits. La preuve, il l'avait. C'était son rêve, un souvenir enfoui dans son inconscient, quand il n'était encore qu'un fœtus. En revanche, il voulait le mot écrit par sa mère, justifiant son suicide et son crime. La salle de restaurant s'était vidée. Il ne restait plus que James et le biographe. James commanda un bourbon. Il se sentait vide à l'intérieur, avec un poids énorme sur ses épaules. Une singulière sensation. Mais ce soir, tout était singulier, à commencer par lui, le fils d'une star de cinéma et d'un président assassiné.

— Vous avez des oreilles magnifiques, dit Théo d'Honnay. C'est très facile à découper, j'en sais quelque chose. C'est du cartilage, c'est tout mou. L'inclusion est un jeu d'enfant. Vous savez que l'oreille a la forme du fœtus. Vous avez dû être un fœtus bien proportionné, calé au fond du ventre d'Eva…

— Vous ne craignez pas pour votre vie ? coupa James.

— Oh, je suis prudent, répondit Théo d'Honnay. Les agences gouvernementales agissent froidement, sans aucun état d'âme. Tous les soirs, j'appelle un serveur vocal qui enregistre le message suivant : Addison. Et si deux soirs de suite, il n'y a pas de message de ma part, le dossier Eva Lopès, déposé dans une banque de Sotchi, sera immédiatement envoyé aux médias américains. Cela dit, les républicains n'ont pas intérêt à réactiver le mythe Kennedy, qui reste très populaire, même si je trouve votre père, n'hésitons pas à le nommer désormais ainsi, surcoté. Les démocrates, quant à eux, pourraient en tirer un avantage certain. Ils sont tellement au fond du trou depuis le départ d'Obama. Vous pourriez même être élu, conclut-il, sans sourire.

— Addison ? demanda James.

— Oui, c'était le nom qu'utilisait votre mère quand elle téléphonait au secrétariat de la présidence. En réalité, il s'agit du nom de la maladie dont souffrait JFK, une insuffisance des glandes corticosurrénales, décelée à vingt ans. Cela lui infligeait des douleurs dorsales terribles qu'il soulageait avec des injections de cortisone, de novocaïnes et de stéroïdes, associées à la prise d'amphétamines. Vous imaginez le cocktail. Il était shooté à mort, le président du monde libre. Sans oublier que ce traitement favorisait sa libido. C'était un baiseur infatigable, si vous me permettez l'expression. En moins de quarante secondes, l'affaire était faite. Quand on est dans le bureau ovale de la Maison-Blanche, il n'y a pas de temps à perdre, surtout avec la bagatelle. Je possède une photo en noir et blanc de JFK avec votre mère. Son visage est extrêmement tendu, et il s'appuie sur une béquille. Il souffrait beaucoup. Eva a eu pitié de lui. Elle n'aurait pas dû. C'était un être cynique, manipulateur, totalement amoral. Le contraire d'elle. Il manquait de détermination en plus. Dans la crise des missiles de Cuba, il a déclaré à votre mère, dans son duplex du Carlyle Hotel, à New York : « Je préfère voir mes enfants rouges que morts. » Elle l'a écrit dans un petit carnet de moleskine noire. Il y a comme ça quelques réflexions qui montrent un homme peu sûr de lui. La vue sur l'East River, à l'aube, invite à tomber le masque. Mais l'essentiel n'est pas là. Vous voulez, je suppose, le mot de la fin.

— Oui, dit James. Mais sortons.

*

Ils se retrouvèrent devant la piscine. Les touristes dormaient ou regardaient la télévision dans leur chambre climatisée. Le biographe ne parlait plus, il regardait les étoiles. James se retenait pour ne pas le pousser dans l'eau chlorée.

— Vous savez comment ma mère a fait la connaissance de JFK ? demanda James.

— Oui, bien sûr, je sais tout, je vous l'ai dit. Au bord de la piscine justement, précisément celle de la Maison-Blanche.

JFK s'y rendait en fin de journée. Il ôtait son corset et faisait quelques longueurs pour soulager son dos. Ensuite il donnait rendez-vous à une ou plusieurs filles qu'il sautait en un éclair, devant la fresque offerte par son père, Joe, ancien ambassadeur à Londres, favorable à une Europe hitlérienne, représentant un coucher de soleil sur Sainte-Croix, une île des Caraïbes. Les filles entraient et sortaient par une porte dérobée, au fond. Ce lupanar aquatique était dirigé par deux favorites intraitables désignées sous les sobriquets de « Fiddle » et de « Faddle », « Tic » et « Tac ». Seule votre mère était parvenue à leur tenir tête, d'où son surnom de « Miss Volcan ». Elle faisait peur. Même au Président, ce qui explique son attitude à la fin. Bref, c'est là qu'elle rencontra pour la première fois JFK. Eva fut le piment brun qui enflamma un temps le Président, celui qu'elle nommerait plus tard « Kenny ». Elle fit oublier les délires psychiatriques et les crises dépressives de la blonde Marilyn. C'est Frank Sinatra qui l'avait signalée à JFK. « The Voice » rabattait pour lui, aussi bien les femmes que les maffieux aux valises bourrées de dollars. Il aurait voulu être « The Artist » du grand homme. Il ne fut que son valet emperruqué. Bref, Eva a découvert le corps musclé et bronzé de JFK, son ventre plat et son accent bostonien, dans ce petit oasis décoré par le père, à l'eau toujours très chaude, 32 degrés, pour soulager la colonne vertébrale de l'homme le plus puissant de la planète. Eva finit par tomber amoureuse. « Kenny » ne chercha pas à l'en dissuader. Le malentendu devait s'achever sur un drame. Le final tint toutes ses promesses.

— Vous êtes infâme ! lança James.

— Non, je pèse mes mots avec vous. Je garde le sordide pour mes futurs lecteurs. De toute façon, tout finit toujours mal. Ce n'est pas à vous que je vais l'apprendre. Votre mère était réellement amoureuse de lui. Elle ne demandait pas à devenir la First Lady, comme la névrotique Marilyn, elle voulait simplement que leur amour soit réciproque. Il lui aurait dit que c'était impossible, elle se serait éclipsée, j'en suis persuadé. Mais il a menti. Remarquez, un homme politique menteur, c'est un pléonasme.

James chercha son paquet de cigarettes. Il avait oublié qu'il avait arrêté de fumer. Il alla commander un bourbon au bar. Comme il était fermé, un employé lui apporta une bouteille qu'on mettrait sur sa note.

— Il paraît qu'il partouzait le… enfin mon père, dit James, énervé.

— Jamais avec votre mère, répondit Théo d'Honnay, le regard pour une fois convaincant. Elle n'aurait jamais partagé, encore moins fait une fellation à un inconnu devant lui, comme il l'exigeait si souvent. Elle l'aimait, vous entendez, James. Elle l'aimait.

James avait entendu. Il but au goulot une longue rasade de bourbon, puis s'essuya la bouche avec le dos de la main. Il se retenait pour ne pas regagner sa chambre, prendre le calibre .44 et flinguer le biographe dégénéré. C'est alors que son portable sonna. Il devait se trouver dans une zone où le réseau passait. « Décrochez, dit Théo d'Honnay. Je vais rejoindre mon mobile home. Passez demain matin, je vous donnerai l'ultime message de votre mère. Pour le reste, vous lirez mon livre. Bonne nuit. »

James loupa l'appel d'Eden. Au fond, ce n'était pas plus mal. Il n'avait pas envie de lui révéler le nom de son père. Elle ne l'aurait pas cru.

Cercle 7

La Buick Electra 225 blanche s'immobilisa devant la villa Félicita. Des hommes en noir surveillaient la rue. « Kenny » était là. Quand son agenda le lui permettait, c'est-à-dire rarement, il venait à l'improviste. Il s'installait, lisait une note ou deux, jamais plus d'un quart d'heure, le temps que ses sbires trouvent l'actrice et la ramènent illico chez elle. Il arrivait qu'il reparte sans l'avoir vue. Ce jour-là, Eva portait une robe légère. Il se tenait dans la pièce principale baignée de soleil. Un cadeau était posé sur la table basse en bois. Eva se baissa pour le prendre, mais il l'en empêcha. « Pas tout de suite », dit-il d'un ton cassant. Et mécaniquement, il baissa son pantalon et son caleçon. Puis avec ses mains aux poils roux d'Irlandais, il la plaqua contre le mur recouvert de chaux. Il releva sa robe, écarta sa culotte, et la pénétra violemment. Il éjacula en moins d'une minute. Furieuse, elle lui lança : « Je ne me suis même pas rendu compte que ça avait commencé. » Il sourit, de ce sourire dominateur qu'elle détestait. « Imagine que les Russes déclenchent le feu nucléaire. Je dois faire vite. Tu peux regarder ton cadeau. Je file. »

Eva ouvrit le paquet. C'était un pyjama de soie bleue. Elle s'allongea sur le canapé. La maison lui parut immense. Elle aimait un monstre fascinant qui effaçait tous les autres hommes. Lui, il ne voyait que l'actrice au tempérament de feu, cette brune qui rendait folle de jalousie Marilyn. Ça l'excitait. La vie des autres faisait partie d'un jeu dont il fixait les règles. Elle ne put contenir ses larmes. Elle avait surmonté bien des épreuves, mais là, c'était différent. Elle était enceinte.

Soudain submergée par les angoisses et les larmes, elle se redressa, courut à une commode, ouvrit le tiroir du bas, en sortit une aiguille à tricoter. Puis elle se rallongea sur le canapé, écarta les cuisses et enfila la pointe de l'aiguille dans son vagin.

« Mother ! », s'écria James. Le dos trempé de sueur, il était assis dans son lit. Il venait de faire un cauchemar. Il se leva, but un verre d'eau et comprit en voyant le soleil derrière la fenêtre que la matinée était déjà avancée.

Après une douche rapide, James décida de retrouver Théo d'Honnay près de l'aérodrome. Il chargea le calibre .44, le glissa dans son jean, entre ses reins. Il regarda son portable. Eden avait laissé plusieurs SMS qu'il ne lit pas. Bakker, en revanche, ne s'était toujours pas manifesté. Il prit également avec lui la boîte de cartouches.

Il s'assit au volant du 4x4, laissa tourner le moteur plusieurs minutes, le temps que la clim rafraîchisse l'habitacle. Le ciel avait la couleur d'une bouteille de Bombay Sapphire. Il se dit qu'il faudrait être con pour mourir par une si belle journée. Puis, cédant à une pulsion, il appela Eden. Il tomba sur sa messagerie. « Écoute, c'est con, je sais. J'ai jamais pu te dire ce que tu espérais entendre. Depuis la mort de ma fille, je suis sec. Plus rien ne sort. J'ai enfoui mes sentiments. Mais là, je crois que… Enfin, rien. C'est trop tard. »

James raccrocha. Pourtant, ça le travaillait. Alors, il envoya un SMS à Eden : « Je t'aime, voilà. »

Et il démarra, après avoir coupé son portable.

Cercle 8

Le vent soulevait de la poussière de sel. Des buissons virevoltants, des *tumbleweed*, traversaient la route bitumeuse. L'aérodrome était au bout de la ligne droite, planté au milieu du désert, composé de deux bâtiments blancs rectangulaires, sans tour de contrôle. L'endroit semblait abandonné, une sorte de décor postnucléaire. Un hélicoptère s'était posé sur la piste recouverte d'un voile grisâtre. Quelques arbres chétifs donnaient un peu de relief au paysage. Derrière le premier bâtiment, un hangar en tôle, James vit le mobile home de Théo d'Honnay. Il appuya sur la pédale de frein, stoppant son 4x4 au milieu de la route. Il ouvrit la portière, sans toutefois descendre. Le vent sifflait sur la plaine. Le sol réverbérait les rayons du soleil. Une porte claquait, celle du véhicule du biographe. Soudain une silhouette en sortit, fit deux ou trois pas hésitants, avant de tomber dans la poussière, face contre terre. James sortit son revolver et se dirigea vers le corps inanimé. C'était Théo d'Honnay. Son pantalon et sa chemise étaient maculés de sang. James s'accroupit, constata qu'il était en vie. Il retourna le corps. Théo d'Honnay avait les yeux ouverts. Ses lèvres pleines de poussière bougèrent. « Votre copain, balbutia-t-il, votre copain a… Il a pas hésité… Je pensais pas… » Et il s'évanouit. James souleva la chemise du biographe. Il avait pris une balle dans le ventre. Il saignait abondamment. Le biographe n'écrirait jamais son torchon. James se releva, entra dans le mobile home qui empestait l'essence. D'abord il avait cru que l'odeur venait du réservoir mais en voyant un jerrican sur le plancher, il comprit que quelqu'un s'apprêtait à mettre le feu. L'ordinateur était brisé, des dossiers jonchaient le sol, fouillés à la hâte, plusieurs photos étaient déchirées. Il reconnut le large sourire démagogue de JFK. Sa gorge se serra en voyant sa mère toute menue au bras de Marlon Brando. « Je dois finir le travail », dit une voix dans son dos. James sursauta. C'était Robin Bakker, l'arme à la main, un kevlar protégeant sa poitrine.

— Putain, tu m'as flanqué la peur de ma vie, s'écria James. C'est toi qui as buté le tordu !

— Il ne m'a pas laissé le choix. Il avait une arme, ce con. Je pensais que les types qui écrivaient ne savaient pas tirer. À part toi, bien sûr. On va laisser le soleil achever le travail.

— Tu as fait une connerie, dit James. Il doit appeler tous les soirs un serveur qui constate qu'il est bien en vie. Sinon…

— T'en fais pas, interrompit Bakker. On était au courant. Ça fait un bail qu'on sait imiter sa voix. Le seul hic, ça sera pour faire disparaître les dossiers du coffre. On demandera à Poutine quand il arrêtera de nous faire chier au Proche-Orient.

L'agent spécial l'invita à descendre du mobile home, car il allait tout faire flamber. James lui demanda d'attendre. Il voulait quelques éclaircissements. « Rapide, dit Bakker. Le coin est certes désert, mais j'ai un macchabée dehors. Je file ensuite avec l'hélico et, toi, tu rentres à Tucson, par la route. Tu éteins ton portable pendant un jour ou deux. Pendant ce temps-là, on nettoiera ta chambre. Il faut qu'il y ait un trou dans ta vie de quarante-huit heures, au cas où il faudrait qu'on te fabrique un alibi. » Puis Bakker ôta le kevlar. Il crevait de chaud. Son t-shirt collait à ses abdominaux.

Assis au milieu des dossiers et des habits du biographe dispersés sur le plancher, dans les vapeurs d'essence, James demanda à Bakker : « Tu connaissais la véritable identité de mon père ? » L'agent spécial dit oui. Mais il devait garder le secret. C'étaient les ordres. Il devait le protéger, c'est tout.

— Je pensais qu'on était amis, balança James.

— Nous le sommes, répliqua Bakker. Sinon, je ne serais pas là à t'écouter. Je t'ai menti parce que j'y étais contraint. Le dossier sur tes parents aurait dû être détruit. Mais Hoover gardait tout. C'était un parano de première classe. Malgré les mises en garde, le fouille-merde de biographe de mes deux a continué les recherches. Il a donc fallu l'éliminer. Maintenant que tu sais qui est ton père, il va te falloir être super discret.

Tu ne risques rien, à condition de la fermer. Même quand Trump a été élu, les hélicos du FBI ne sont pas descendus du ciel pour te flinguer. Tu vois, un peu comme dans la scène mythique du film *Apocalypse Now*...

— Arrête de déconner. Tu m'as menti et manipulé.

— OK, s'énerva Bakker. Je t'ai menti. Je t'ai manipulé. Nous sommes dans la manipulation permanente. Les images sont truquées, les informations fausses, les satellites nous traquent et enregistrent sans relâche. Tout est une question de pouvoir. Je ne vais pas t'apprendre ça tout de même ! Alors si tu ne déranges pas ce principe-là, si tu ne fous pas le bordel, si tu restes peinard dans ton ranch à écrire des scénars pour divertir les braves citoyens, tout ira bien.

— Ouais, fit James. Je sais, je sais. Alors tu sais aussi qui a flingué JFK.

— Oublie, putain !

— Tu peux me dire !

— Laisse tomber, James. En revanche, je viens d'apprendre que le shérif Dukan ne te créera plus jamais d'emmerdes.

— Quoi ! Vous l'avez buté ?

— Neutralisé, nuança Bakker. Allez, faut déguerpir. On doit déplacer le corps du fouille-merde dans le désert. Les coyotes ont la dalle !

— Une dernière chose, demanda James. Donne-moi le cahier noir.

— Aucune trace ! s'énerva Bakker. Il va brûler avec tout ce fatras. En revanche, j'ai fait une photo du texte écrit par ta mère. Du reste, le cahier ne contient rien d'autre. Vraiment rien. Je vais te l'envoyer.

— Promis ?

— Promis.

Avant de quitter le mobile home, James ramassa les deux morceaux de la photo où l'on voyait Eva et Marlon ensemble.

— T'es trop sentimental ! lança Bakker. Ça finira par te perdre.

— Si on te donnait l'ordre de m'abattre, tu le ferais ? demanda James marchant vers sa voiture.

— Non.

— Un autre le ferait à ta place… hésita-t-il.

— Possible. Mais les républicains n'ont pas intérêt à te flinguer, au fond. C'est dangereux de flinguer quelqu'un mêlé à l'histoire d'une grande famille politique. Malgré les précautions, il y a toujours un risque que ça remonte à la surface. Allez, faut déguerpir. J'ai désactivé le GPS de ta voiture. Tu peux la reprendre.

Une fois dans le 4x4, James vit le véhicule de Théo d'Honnay en flamme. Des volutes noires s'élevaient dans le ciel indéfectiblement bleu. Le cahier partait en fumée. Il rejoignait les cendres de Brando, dispersées quelque part non loin d'ici, une semaine après sa mort.

Deux hommes en combinaisons blanches et masques respiratoires emportèrent le corps du biographe dans la plaine surchauffée, truffée de nids de serpent. À la nuit tombée, il ne resterait que les os.

Cercle 9

Sur la Death Valley Scenic Byway, James rangea son véhicule le long de la route. Il alluma son portable et écouta les messages d'Eden. Il sourit en constatant sa colère grandissante parce qu'il ne répondait pas. Puis le MMS de Robin Bakker apparut sur l'écran. Il lut :

« Kenny. J'espère que Dieu te pardonnera et me pardonnera également. Je vais mettre fin à mes jours, et ôter la vie à notre bébé dont tu ne veux pas. Je dois lui éviter que la honte, la honte de sa mère, ne le souille à tout jamais. Il doit demeurer pur. Comment as-tu pu me mentir avec autant d'aplomb ? Me faire croire que je pouvais t'aimer, que ce bébé pourrait vivre avec moi, que tu veillerais sur nous ? Comment as-tu pu nous manquer de respect à ce point ? J'ai cru en toi. La seule sortie, c'est la mort. Pour moi, pour lui. Pour nous deux. Éternellement. Je te dis adieu. Prends soin de toi.

Eva Lopès. »

James relut le mot. Puis il éteignit le portable comme le lui avait demandé Robin Bakker, et il reprit la route.

Imprimé en France par CPI
en juin 2018

Pour en savoir plus sur TohuBohu Éditions
(catalogue complet, auteurs, titres...),
vous pouvez consulter notre site internet :

www.tohubohu.paris

Cet ouvrage a été imprimé en France
par CPI

N° d'impression : 147899